中国古医籍整理丛书

神农本草经赞

清·叶志诜　撰

王加锋　展照双　杨海燕
刘洪强　杜中惠　陈曙光　校注
李军涛　岳　娜　张　超

中国中医药出版社
·北　京·

图书在版编目（CIP）数据

神农本草经赞/(清)叶志诜撰；王加锋等校注．—北京：中国中医药出版社，2017.12

(中国古医籍整理丛书)

ISBN 978－7－5132－4618－7

Ⅰ.①神…　Ⅱ.①叶…②王…　Ⅲ.①本草－中国－清代

Ⅳ.①R281.3

中国版本图书馆CIP数据核字（2017）第287879号

中国中医药出版社出版

北京市朝阳区北三环东路28号易亨大厦16层

邮政编码　100013

传真　010－64405750

廊坊市三友印务装订有限公司印刷

各地新华书店经销

开本 710×1000　1/16　印张 15.25　字数 154 千字

2017年12月第1版　2017年12月第1次印刷

书号　ISBN 978－7－5132－4618－7

定价　62.00元

网址　www.cptcm.com

社长热线　010－64405720

购书热线　010－89535836

维权打假　010－64405753

微信服务号　zgzyycbs

微商城网址　https://kdt.im/LIdUGr

官方微博　http://e.weibo.com/cptcm

天猫旗舰店网址　https://zgzyycbs.tmall.com

如有印装质量问题请与本社出版部联系(010－64405510)

国家中医药管理局
中医药古籍保护与利用能力建设项目
组织工作委员会

主 任 委 员 王国强

副 主 任 委 员 王志勇 李大宁

执行主任委员 曹洪欣 苏钢强 王国辰 欧阳兵

执行副主任委员 李 昱 武 东 李秀明 张成博

委 员

各省市项目组分管领导和主要专家

（山东省）武继彪 欧阳兵 张成博 贾青顺

（江苏省）吴勉华 周仲瑛 段金廒 胡 烈

（上海市）张怀琼 季 光 严世芸 段逸山

（福建省）阮诗玮 陈立典 李灿东 纪立金

（浙江省）徐伟伟 范永升 柴可群 盛增秀

（陕西省）黄立勋 呼 燕 魏少阳 苏荣彪

（河南省）夏祖昌 刘文第 韩新峰 许敬生

（辽宁省）杨关林 康廷国 石 岩 李德新

（四川省）杨殿兴 梁繁荣 余曙光 张 毅

各项目组负责人

王振国（山东省） 王旭东（江苏省） 张如青（上海市）

李灿东（福建省） 陈勇毅（浙江省） 焦振廉（陕西省）

蔡永敏（河南省） 鞠宝兆（辽宁省） 和中浚（四川省）

项目专家组

顾　问　马继兴　张灿玾　李经纬

组　长　余瀛鳌

成　员　李致忠　钱超尘　段逸山　严世芸　鲁兆麟
　　　　　郑金生　林端宜　欧阳兵　高文柱　柳长华
　　　　　王振国　王旭东　崔　蒙　严季澜　黄龙祥
　　　　　陈勇毅　张志清

项目办公室（组织工作委员会办公室）

主　任　王振国　王思成

副主任　王振宇　刘群峰　陈榕虎　杨振宁　朱毓梅
　　　　　刘更生　华中健

成　员　陈丽娜　邱　岳　王　庆　王　鹏　王春燕
　　　　　郭瑞华　宋咏梅　周　扬　范　磊　张永泰
　　　　　罗海鹰　王　爽　王　捷　贺晓路　熊智波

秘　书　张丰聪

前言

中医药古籍是传承中华优秀文化的重要载体，也是中医学传承数千年的知识宝库，凝聚着中华民族特有的精神价值、思维方法、生命理论和医疗经验，不仅对于传承中医学术具有重要的历史价值，更是现代中医药科技创新和学术进步的源头和根基。保护和利用好中医药古籍，是弘扬中国优秀传统文化、传承中医学术的必由之路，事关中医药事业发展全局。

1949 年以来，在政府的大力支持和推动下，开展了系统的中医药古籍整理研究。1958 年，国务院科学规划委员会古籍整理出版规划小组在北京成立，负责指导全国的古籍整理出版工作。1982 年，国务院古籍整理出版规划小组召开全国古籍整理出版规划会议，制定了《古籍整理出版规划（1982—1990）》，卫生部先后下达了两批 200 余种中医古籍整理任务，掀起了中医古籍整理研究的新高潮，对中医文化与学术的弘扬、传承和发展，发挥了极其重要的作用，产生了不可估量的深远影响。

2007 年《国务院办公厅关于进一步加强古籍保护工作的意见》明确提出进一步加强古籍整理、出版和研究利用，以及

“保护为主、抢救第一、合理利用、加强管理”的方针。2009年《国务院关于扶持和促进中医药事业发展的若干意见》指出，要“开展中医药古籍普查登记，建立综合信息数据库和珍贵古籍名录，加强整理、出版、研究和利用”。《中医药创新发展规划纲要（2006—2020）》强调继承与创新并重，推动中医药传承与创新发展。

2003~2010年，国家财政多次立项支持中国中医科学院开展针对性中医药古籍抢救保护工作，在中国中医科学院图书馆设立全国唯一的行业古籍保护中心，影印抢救濒危珍本、孤本中医古籍1640余种；整理发布《中国中医古籍总目》；遴选351种孤本收入《中医古籍孤本大全》影印出版；开展了海外中医古籍目录调研和孤本回归工作，收集了11个国家和2个地区137个图书馆的240余种书目，基本摸清流失海外的中医古籍现状，确定国内失传的中医药古籍共有220种，复制出版海外所藏中医药古籍133种。2010年，国家财政部、国家中医药管理局设立“中医药古籍保护与利用能力建设项目”，资助整理400余种中医药古籍，并着眼于加强中医药古籍保护和研究机构建设，培养中医古籍整理研究的后备人才，全面提高中医药古籍保护与利用能力。

在此，国家中医药管理局成立了中医药古籍保护和利用专家组和项目办公室，专家组负责项目指导、咨询、质量把关，项目办公室负责实施过程的统筹协调。专家组成员对古籍整理研究具有丰富的经验，有的专家从事古籍整理研究长达70余年，深知中医药古籍整理研究的重要性、艰巨性与复杂性，履行职责认真务实。专家组从书目确定、版本选择、点校、注释等各方面，为项目实施提供了强有力的专业指导。老一辈专家的学术水平和智慧，是项目成功的重要保证。项目承担单位山东中医药大学、南京中医药大学、上海中医药大学、福建中医药大学、浙江省中医药研究院、陕西省中医药研究院、河南省中医药研究院、辽宁中医药大学、成都中医药大学及所在省市中医药管理部门精心组织，充分发挥区域间互补协作的优势，并得到承担项目出版工作的中国中医药出版社大力配合，全面推进中医药古籍保护与利用网络体系的构建和人才队伍建设，使一批有志于中医学术传承与古籍整理工作的人才凝聚在一起，研究队伍日益壮大，研究水平不断提高。

本着“抢救、保护、发掘、利用”的理念，该项目重点选择近 60 年未曾出版的重要古医籍，综合考虑所选古籍的保护价值、学术价值和实用价值。400 余种中医药古籍涵盖了医经、基础理论、诊法、伤寒金匮、温病、本草、方书、内科、外科、女科、儿科、伤科、眼科、咽喉口齿、针灸推拿、养生、医案医话医论、医史、临证综合等门类，跨越唐、宋、金元、明以迄清末。全部古籍均按照项目办公室组织完成的行业标准《中医古籍整理规范》及《中医药古籍整理细则》进行整理校注，绝大多数中医药古籍是第一次校注出版，一批孤本、稿本、抄本更是首次整理面世。对一些重要学术问题的研究成果，则集中收录于各书的“校注说明”或“校注后记”中。

“既出书又出人”是本项目追求的目标。近年来，中医药古籍整理工作形势严峻，老一辈逐渐退出，新一代普遍存在整理研究古籍的经验不足、专业思想不坚定等问题，使中医古籍整理面临人才流失严重、青黄不接的局面。通过本项目实施，搭建平台，完善机制，培养队伍，提升能力，经过近 5 年的建设，锻炼了一批优秀人才，老中青三代齐聚一堂，有效地稳定了研究队伍，为中医药古籍整理工作的开展和中医文化与学术的传承提供必备的知识和人才储备。

本项目的实施与《中国古医籍整理丛书》的出版，对于加强中医药古籍文献研究队伍建设、建立古籍研究平台，提高古籍整理水平均具有积极的推动作用，对弘扬我国优秀传统文化，推进中医药继承创新，进一步发挥中医药服务民众的养生保健与防病治病作用将产生深远影响。

第九届、第十届全国人大常委会副委员长许嘉璐先生，国家卫生计生委副主任、国家中医药管理局局长、中华中医药学会会长王国强先生，我国著名医史文献专家、中国中医科学院马继兴先生在百忙之中为丛书作序，我们深表敬意和感谢。

由于参与校注整理工作的人员较多，水平不一，诸多方面尚未臻完善，希望专家、读者不吝赐教。

国家中医药管理局中医药古籍保护与利用能力建设项目办公室

二〇一四年十二月

许序

“中医”之名立，迄今不逾百年，所以冠以“中”字者，以别于“洋”与“西”也。慎思之，明辨之，斯名之出，无奈耳，或亦时人不甘泯没而特标其犹在之举也。

前此，祖传医术（今世方称为“学”）绵延数千载，救民无数；华夏屡遭时疫，皆仰之以度困厄。中华民族之未如印第安遭染殖民者所携疾病而族灭者，中医之功也。

医兴则国兴，国强则医强。百年运衰，岂但国土肢解，五千年文明亦不得全，非遭泯灭，即蒙冤扭曲。西方医学以其捷便速效，始则为传教之利器，继则以“科学”之冕畅行于中华。中医虽为内外所夹击，斥之为蒙昧，为伪医，然四亿同胞衣食不保，得获西医之益者甚寡，中医犹为人民之所赖。虽然，中国医学日益陵替，乃不可免，势使之然也。呜呼！覆巢之下安有完卵？

嗣后，国家新生，中医旋即得以重振，与西医并举，探寻结合之路。今也，中华诸多文化，自民俗、礼仪、工艺、戏曲、历史、文学，以至伦理、信仰，皆渐复起，中国医学之兴乃属必然。

迄今中医犹为国家医疗系统之辅，城市尤甚。何哉？盖一则西医赖声、光、电技术而于20世纪发展极速，中医则难见其进。二则国人惊羡西医之“立竿见影”，遂以为其事事胜于中医。然西医已自觉将入绝境：其若干医法正负效应相若，甚或负远逾于正；研究医理者，渐知人乃一整体，心、身非如中世纪所认定为二对立物，且人体亦非宇宙之中心，仅为其一小单位，与宇宙万象万物息息相关。认识至此，其已向中国医学之理念“靠拢”矣，虽彼未必知中国医学何如也。唯其不知中国医理何如，纯由其实践而有所悟，益以证中国之认识人体不为伪，亦不为玄虚。然国人知此趋向者，几人？

国医欲再现宋明清高峰，成国中主流医学，则一须继承，一须创新。继承则必深研原典，激清汰浊，复吸纳西医及我藏、蒙、维、回、苗、彝诸民族医术之精华；创新之道，在于今之科技，既用其器，亦参照其道，反思己之医理，审问之，笃行之，深化之，普及之，于普及中认知人体及环境古今之异，以建成当代国医理论。欲达于斯境，或需百年欤？予恐西医既已醒悟，若加力吸收中医精粹，促中医西医深度结合，形成21世纪之新医学，届时“制高点”将在何方？国人于此转折之机，能不忧虑而奋力乎？

予所谓深研之原典，非指一二习见之书、千古权威之作；就医界整体言之，所传所承自应为医籍之全部。盖后世名医所著，乃其秉诸前人所述，总结终生行医用药经验所得，自当已成今世、后世之要籍。

盛世修典，信然。盖典籍得修，方可言传言承。虽前此50余载已启医籍整理、出版之役，惜旋即中辍。阅20载再兴整理、出版之潮，世所罕见之要籍千余部陆续问世，洋洋大观。

今复有“中医药古籍保护与利用能力建设”之工程，集九省市专家，历经五载，董理出版自唐迄清医籍，都400余种，凡中医之基础医理、伤寒、温病及各科诊治、医案医话、推拿本草，俱涵盖之。

噫！璐既知此，能不胜其悦乎？汇集刻印医籍，自古有之，然孰与今世之盛且精也！自今而后，中国医家及患者，得览斯典，当于前人益敬而畏之矣。中华民族之屡经灾难而益蕃，乃至未来之永续，端赖之也，自今以往岂可不后出转精乎？典籍既蜂出矣，余则有望于来者。

谨序。

第九届、十届全国人大常委会副委员长

許嘉璐

二〇一四年冬

王 序

中医学是中华民族在长期生产生活实践中，在与疾病作斗争中逐步形成并不断丰富发展的医学科学，是中国古代科学的瑰宝，为中华民族的繁衍昌盛作出了巨大贡献，对世界文明进步产生了积极影响。时至今日，中医学作为我国医学的特色和重要医药卫生资源，与西医学相互补充、相互促进、协调发展，共同担负着维护和促进人民健康的任务，已成为我国医药卫生事业的重要特征和显著优势。

中医药古籍在存世的中华古籍中占有相当重要的比重，不仅是中医学术传承数千年最为重要的知识载体，也是中医为中华民族繁衍昌盛发挥重要作用的历史见证。中医药典籍不仅承载着中医的学术经验，而且蕴含着中华民族优秀的思想文化，凝聚着中华民族的聪明智慧，是祖先留给我们的宝贵物质财富和精神财富。加强对中医药古籍的保护与利用，既是中医学发展的需要，也是传承中华文化的迫切要求，更是历史赋予我们的责任。

2010 年，国家中医药管理局启动了中医药古籍保护与利用能力建设项目。这既是传承中医药的重要工程，也是弘扬优秀民族文化的重要举措，不仅能够全面推进中医药的有效继承和创新发展，为维护人民健康做出贡献，也能够彰显中华民族的璀璨文化，为实现中华民族伟大复兴的中国梦作出贡献。

相信这项工作一定能造福当今，嘉惠后世，福泽绵长。

国家卫生和计划生育委员会副主任

国家中医药管理局局长

中华中医药学会会长

王国强

二〇一四年十二月

马序

新中国成立以来，党和国家高度重视中医药事业发展，重视古籍的保护、整理和研究工作。自1958年始，国务院先后成立了三届古籍整理出版规划小组，分别由齐燕铭、李一氓、匡亚明担任组长，主持制订了《整理和出版古籍十年规划（1962—1972）》《古籍整理出版规划（1982—1990）》《中国古籍整理出版十年规划和“八五”计划（1991—2000）》等，而第三次规划中医药古籍整理即纳入其中。1982年9月，卫生部下发《1982—1990年中医古籍整理出版规划》，1983年1月，中医古籍整理出版办公室正式成立，保证了中医古籍整理出版规划的实施。2002年2月，《国家古籍整理出版“十五”（2001—2005）重点规划》经新闻出版署和全国古籍整理出版规划领导小组批准，颁布实施。其后，又陆续制定了国家古籍整理出版“十一五”和“十二五”重点规划。国家财政多次立项支持中国中医科学院开展针对性中医药古籍抢救保护工作，文化部在中国中医科学院图书馆专门设立全国唯一的行业古籍保护中心，国家先后投入中医药古籍保护专项经费超过3000万元，影印抢救濒危珍、善、孤本中医古籍1640余种，开展了海外中医古籍目录调研和孤本回归工作。2010年，国家财政部、国家中医药管理局安排国家公共卫生专项资金，设立了“中医药古籍保护与利用能力建设项目”，这是继1982~1986年第一批、第二批重要中医药古籍整理之后的又一次大规模古籍整理工程，重点整理新中国成立后未曾出版的重要古籍，目标是形成并普及规范的通行本、传世本。

为保证项目的顺利实施，项目组特别成立了专家组，承担咨询和技术指导，以及古籍出版之前的审定工作。专家组中的许多成员虽逾古稀之年，但老骥伏枥，孜孜不倦，不仅对项目进行宏观指导和质量把关，更重要的是通过古籍整理，以老带新，言传身教，培养一批中医药古籍整理研究的后备人才，促进了中医药古籍保护和研究机构建设，全面提升了我国中医药古籍保护与利用能力。

作为项目组顾问之一，我深感中医药古籍保护、抢救与整理工作的重要性和紧迫性，也深知传承中医药古籍整理经验任重而道远。令人欣慰的是，在项目实施过程中，我看到了老中青三代的紧密衔接，看到了大家的坚持和努力，看到了年轻一代的成长。相信中医药古籍整理工作的将来会越来越好，中医药学的发展会越来越好。

欣喜之余，以是为序。

中国中医科学院研究员

马继兴

二○一四年十二月

校注说明

《神农本草经赞》，清代叶志诜撰。叶志诜（1779—1863），字廷芳、东卿，晚号遂翁、淡翁，清代湖北汉阳人。自幼随侍其父（官给事中）京师任所，于书无所不读。尝游于翁方纲、刘墉门下，致力金石文字之学，能辨其源流，剖析毫芒。收藏金石、书画、古今图书甚富，为著名金石收藏家兼鉴赏家。曾宦游于粤，嘉庆九年（1804）翰林进册，官国子监典簿，升兵部武选司郎中。年六十岁致仕，就养于粤东节署，后辞官归里。

叶氏精于养生，亦通针灸。所辑医书甚多，计有《神农本草经赞》《观身集》《颐身集》《绛囊撮要》《信验方录》《五种经验方》《咽喉脉证通论》，合称《汉阳叶氏丛刻》。

《神农本草经赞》书凡四卷，前三卷取孙星衍、孙冯翼所辑《神农本草经》，药分三品之法，共载药三百六十五种。每药全文收录《神农本草经》原文，将每种药物编成四言韵诗赞语，多为药性、主治，赞语句句含典，出处不限于各类本草书籍，亦包括各类诗文杂史，因赞语简明古奥，又加以简要的注释。末卷为附《月令七十二候赞》。

《神农本草经赞》刊于清道光三十年庚戌（1850），即粤东抚署刻本，现国家图书馆、中国中医科学院图书馆、中国科学院国家科学图书馆、故宫博物院图书馆等有藏。此外，该书亦收录于《汉阳叶氏丛刻》及《珍本医书集成》。本次整理以清道光三十年庚戌（1850）粤东抚署刻本为底本。

主要校注原则如下：

1. 改繁体竖排为简体横排，并加标点。

2. 底本中字形属一般笔画之误，径改，不出校。

3. 底本中的异体字、古字、俗写字，不涉及文中训释内容者，径改，不出校；有关训释者保留原字。

4. 通假字保留原字，不常见者出校说明。

5. 药名的俗写、误写径改，涉及文中训释者保留原字。

6. 底本封面题有“神农本草经赞”“道光三十年夏五月粤东抚署刊印”。每卷首题有“神农本草经赞”“魏吴普等述经 汉阳叶志诜撰赞”，《月令七十二候赞》卷首题有“汉阳叶志诜撰赞”。每卷末题有“男名琛名沣同校”，卷三卷末有“粤省西湖街正文堂印”，今删。

序

古书之以经称而流传于今者，以神农《本草经》与大禹《山海经》为最。顾《山海经》旧传禹与益同记之，而有长沙、零陵、桂阳、诸暨等郡县，识者疑之，因及《神农本草》，其出药物者，亦有豫章、朱崖、赵国、常山、奉高、真定、临淄、冯翊等名，亦以为疑，然无可疑也。“本草”之目，始见于《汉书》平帝之诏。班氏《艺文志》有《神农黄帝食禁》七卷，“食禁”乃“食药”之讹，《周礼》贾疏引之正作“食药”，其即本草诸书明矣。《隋书·经籍志》：《神农本草》八卷。又云：梁有《神农本草》五卷、《神农本草属物》二卷、《神农明堂图》一卷，殆合之为八卷邪。然梁《七录》止云《神农本草》三卷。核其书，上药一百二十种为君，主养命以应天者，本上经；中药一百二十种为臣，主养性以应人者，本中经；下药一百二十五种为佐使，治病以应地者，本下经。则作三卷者，其本经也。又合三百六十五种，法三百六十五度，一度以应一日，以成一岁，本草之为经大矣。其有豫章等郡县名，皆后人羼入之文字。《大观本草》黑白字书，厘正最精，《太平御览》所引经史止云生山谷、生川泽者尤为确据。阳湖孙观察星衍及从子冯翼相与辑之，实为神农功臣，亦可无疑于是经矣。汉阳叶大中丞封翁东卿先生，就养于粤东节署，老而好学，考古不衰。因取孙氏所编《神农本草经》，物物而为之赞，赞各四言四韵，音节之古，不可名言，又自为之注，简而且明，使读《本草》者浏览讽诵不能释手，而其药之本性治用，了然于目，自有会心，不尤为神农功臣乎！楚材以县职试用于粤者逾年，适与同僚校阅广郡试卷，而封翁寄示是书，命为之序，展读三四，窃有请焉：昔郭景纯注《山海经》而并为图赞，翁之为是赞也，其亦有景纯之志乎？翁以为然，即以是言系诸简末云。

道光三十年庚戌夏五鄞王楚材谨序于广州郡斋

目录

卷一　上经

卷二　中经

卷三　下经

月令七十二候赞

卷一　上经

上药为君，主养命以应天，无毒，多服久服不伤人，欲轻身益气不老延年者，本《上经》①。

丹　沙

味甘，微寒。主身体五脏百病。养精神，安魂魄，益气明目，杀精魅邪恶鬼。久服通神明，不老。能化为汞。生山谷。

符陵上药，首纪丹巴。凝真调气，御魅驱邪。

液孳金汞，光灿朱霞。宜家寿考，廖井澄华。

《名医》曰：生符陵。《魏志·传》注：嵇康采御上药。《说文》：丹，巴越之赤石也。李湜碑：凝真牝谷。张嫔诗：饥渴惟调气。《左传》：以御魑魅。《齐民要术》：以驱百邪。《管子》：山上有丹沙，其下有鉒②金。《南史·传〈刘訏〉》：如天半朱霞。《易林》：寿考宜家。《抱朴子》：临沅廖氏，世世寿考，其井水赤，掘之得丹沙数十斛。

云　母

味甘，平。主身皮死肌，中风寒热，如在车船上，除邪气，安五脏，益子精，明目。久服轻身延年。一名云珠，一名云华，一名云英，一名云液，一名云沙，一名磷石。生山谷。

晓庆非云，养育如母。时维中春，升彼齐阜。

---

① 上药为君……本上经：此段文字原在目录卷一下，今移此。卷二、卷三同。

② 鉒（zhù注）：矿藏。明·方以智《通雅·金石》：“鉒金，鉒银，卝（矿）也。”

五色相宜，四时更受。蕴地精收，全形不朽。

《齐雩祭歌》：非云晓庆。《广雅》：母，牧也，言育养子也。《名医》曰：生太山、齐卢山及琅琊北定山石间，一月采。《抱朴子》：云母有五种，五色并具，多青者宜以春服之，多赤者宜以夏服之，多白者宜以秋服之，多黑者宜以冬服之，但有青黄二色者，宜以季夏服之，晶晶纯白，可以四时常服之也。《巴蜀异物志》：云母一名云精，入地万岁不朽。

玉　泉

味甘，平。主五脏百病，柔筋强骨，安魂魄，长肌肉，益气。久服耐寒暑，不饥渴，不老神仙。人临死服五斤，死三年色不变。一名玉札。《初学记》引云"玉枇"，《太平御览》引同，疑当作"桃"。生山谷。

阳精孕璞，霏屑消坚。禁水胜火，辉山澄川。

浓调榆酿，饴倩葱湔。礼供斋食，白首长延。

《周礼》注：玉是阳精之纯者。吴普曰：玉泉一名玉屑。《抱朴子》：服之一年以上，入水不沾，入火不灼。得于阗国，白玉尤善。乌米酒及地榆酒化之为水，亦可以葱浆消之为饴。陆机赋：石韫玉而山辉。《唐书·传〈郑朗〉》：蔼若瑞玉，淡如澄川。《周礼》：王斋则供食玉。《事类赋》：白玉体如白首翁。

石钟乳

味甘，温。主咳逆上气，明目，益精，安五脏，通百节，利九窍，下乳汁。《御览》一名留公乳。生山谷。

由刚化柔，岩脉泄乳。蒸栗侔黄，寒冰积卤。

鹅管排筒，蝉纱错缕。药石比言，仙茅安数。

韩愈诗：泄乳交岩脉。吴普曰：黄白色，空中相通。《唐书·传〈高季辅〉》：数上书，言得失，辞诚切至，帝赐钟乳一剂曰："而进药石之言，朕以药石相报"。《续传信方》：千斤钟乳，不若一斤仙茅。

涅石旧作矾石，据郭璞注《山海经》引作涅石

味酸，寒。主寒热，泄利，白沃，阴蚀，恶创，目痛，坚筋骨齿。炼饵服之，轻身，不老增年。一名羽涅。生山谷。

羽涅羽泽，女床之阴。寒凝热炙，创巨痛深。

染缁易色，炼饵调心。嗤彼椗叶，窃附高岑。

吴普曰：矾石，一名羽泽。《山海经》：女床之山，其阴多涅石。《淮南子》：以涅染缁。黄庭坚曰：江南野中椗花，土人采叶烧灰，染紫为黝，不借矾而成，因易名为山矾花。

消　石

味苦，寒。主五脏积热，胃胀闭，涤去蓄结饮食，推陈致新，除邪气。炼之如膏，久服轻身。《御览》引云：一名芒消。生山谷。

京山元礵，性工浣胃。作作生芒，醰醰结味。

相劝加餐，解醒既醉。养阳养阴，慧圣好治。

《山海经》：京山其阴，有元礵。"礵"即"消"异文。刘基诗：浣胃涤肠，绝去病根。《史记·书》：作作有芒。王褒赋：醰醰而有味。古诗：上有加餐饭。《诗》：既醉以酒。《礼》：凡饮，养阳气也；凡食，养阴气也。《淮南子》：黄色主胃，慧圣而好治。

朴消

味苦，寒。主百病，除寒热邪气，逐六腑积聚，结固留癖[①]，能化七十二种石。炼饵服之，轻身神仙。生山谷。

如玉藏璞，盐液附生。青分晓岫，白表流晶。

刚惟柔克，机与化争。七十二石，含虚太清。

《名医》曰：生益州盐水之阳，色青白者佳。王勃诗：山长晓岫青。白行简赋：流晶表异。《书》：高明柔克。白居易赞：但获天机，则与化争。《鹖冠子》：上及太清。

滑石

味甘，寒。主身热泄澼，女子乳难，癃闭，利小便，荡胃中积聚寒热，益精气。久服轻身，耐饥长年。生山谷。

荡秽涤瑕，滑为滞导。上合三焦，两之九窍。

可以乐饥[②]，使我高蹈。白山卷山，鲜结皓耀。

宋务先疏：涤瑕荡秽。《黄庭经》：上合三焦道饮浆。《周礼》：疾医两之以九窍。《诗》：可以乐饥。《左传》：使我高蹈。《名医》曰：生掖北白山，或卷山。《水经注·粉水》：皓耀鲜洁。

石胆

味酸，寒。主明目，目痛金创，诸痫痉，女子阴蚀痛，石淋寒热，崩中下血，诸邪毒气，令人有子。炼饵服之，不老。久服增寿神仙。能化铁为铜，成金银。《御览》引作合成。一名毕

---

① 结固留癖：指久聚不散而难治愈的痞块。

② 乐饥：疗饥，充饥。典出《诗·陈风·衡门》："衡门之下，可以栖迟。泌之洋洋，可以乐饥。"高亨注："乐，借为疗。《列女传·贤明》引作疗。"

石。生山谷。

质青喻胆，羌道磷磷。星中弧建，日纪庚辛。

永令麋寿，宜尔麟振。仙人狡狯，变化金银。

《御览》：生羌道或句青山。《礼》仲春之月：昏弧中，旦建星中。《名医》曰：二月庚子辛丑日采。《诗》“绥我眉寿”，古作麋。又：麟之趾，振振公子。《神仙传》王方平曰：不喜复作如此狡狯变化也。

空　青

味甘，寒。主眚盲，耳聋，明目，利九窍，通血脉，养精神。久服轻身，延年不老。能化铜、铁、铅、锡作金。生山谷。

铜液薰空，三春浮聚。决牖益聪，披云快睹。

常奉金仙，传言玉女。旷矣高怀，轩轩韶举。

《名医》曰：铜精薰则生空青，其腹中空，三月中旬采。《真诰》：耳者体之牖，有决牖之术。《世说》：若披云雾，而睹青天。岑参诗：常愿奉金仙。词曲名：传言玉女。《世说》：何其轩轩韶举。

曾　青

味酸，小寒。主目痛，止泪出，风痹，利关节，通九窍，破癥坚积聚。久服轻身，不老。能化金铜。生山谷。

逾八百载，是生青曾。光回呼吸，积破瘕癥。

珠连累累，金化层层。启关解节，妙合而凝。

《淮南子》：青天八百岁生青曾。《黄庭经》注：常存日月于两目，使光与身合则通真矣。陶弘景曰：形累累如黄连相缀。费冠卿记：层层倚空。周子说：妙合而凝。

禹余粮

味甘，寒。主咳逆，寒热烦满，下痢赤白，血闭，癥瘕，大热。炼饵服之，不饥，轻身延年。生池泽及山岛中。

蛊为谷飞，粮亦羽化。等润川流，敷荣岩罅。

赤散余霞，黄吹晚穲。知白辨名，禹功休讶。

《左传》：谷之飞亦为蛊。《晋书·传》：好道者皆谓之羽化。陶弘景曰：有壳重叠，中有细末如蒲黄。又一种，有节而色赤。范成大诗：早秈与晚穲。《道德经》：知其白。《名医》曰：一名白余粮。按《神农经》；自非夏禹也。

太一余粮

味甘，平。主咳逆上气，癥瘕，血闭，漏下，除邪气。久服耐寒暑，不饥，轻身，飞行千里若神仙。一名石垴。生山谷。

贵神食气，亦具干糇。垴含雪化，甲脱云浮。

行轻千里，采及九秋。丰饶遗滞，栖亩弗收。

《史记·书》：天神贵者太一。《诗》：干糇以愆。《庚辛玉册》：石黄，性热，有处其雪先消。吴普曰：生太山上，有甲，甲中有白，九月采取。《诗》：彼有遗秉，此有滞穗。左思赋：余粮栖亩而弗收。

白石英

味甘，微温。主消渴，阴痿不足，咳逆[1]，胸膈间久寒，益气，除风湿痹[2]。久服轻身，长年。生山谷。

谁削六棱，吹霜炼雪。摇影朝阳，搏华夕月。

西华岧峣，东封突兀。开凿登探，如指纷结。

《名医》曰：生华阴山谷及太山，如指，长二三寸，六面如削，白澈有光。《文心雕龙》：吹霜喷露。《二仪录》：萧史造炼

---

① 咳逆：《太平御览》作“呕逆”。

② 除风湿痹：《太平御览》作“除湿痹”。

雪丹。《御览》：久服通日月光。李为赋：乍摇紫影。欧阳詹赋：搏华上浮。沈佺期诗：太史漏登探，文命限开凿。

紫石英

味甘，温。主心腹咳逆①邪气，补不足，女子风寒在子宫，绝孕十年无子。久服温中，轻身延年。生山谷。

盘根夺紫，比象樗蒲。色兼缥绛，质亚珷玞。

腹池沍解，心府春苏。十年乃字，门设桑弧。

陶弘景曰：石色重澈，下有根。吴普曰：达头如樗蒲。寇宗奭曰：色紫而不匀。郭璞曰：珷玞石似玉。《黄庭经》：小腹为玉池。《淮南子》：智者心之府也。《易》：十年乃字。"字"本程氏伊川《说易》作"字育"之"字"。《礼》：男子生，桑弧蓬矢六，以射天地四方，又设弧于门左。

五色石脂

青石、赤石、黄石、白石、黑石脂等。

味甘，平。主黄疸，泄利，肠澼脓血，阴蚀，下血赤白，邪气痈肿，疽痔，恶创，头疡，疥搔。久服补髓，益气，肥健，不饥，轻身，延年。五石脂各随五色补五脏。生山谷中。

名别五符，主治异道。鴚雁将雏，彀犹鹽埳。

粉渍肤凝，饴调面澡。曾说赤须，生不知老。

吴普曰：一名五色符，色如犹埳雁雏。《方言》：雁自关而东，谓之鴚鵝。成公绥赋：似鸿雁之将雏。《说文》：彀，小犹也。《左传》：晋文公梦楚子伏己而鹽其脑。《诗》：肤如凝脂。《世说》杜宏治：面如凝脂。《列仙传》：赤须子好食石脂。《易

① 咳逆：《太平御览》作"呕逆"。

林》：生不知老。

白 青

味甘，平。主明目，利九窍，耳聋，心下邪气，令人吐，杀诸毒，三虫。久服通神明，轻身，延年不老。生山谷。

三十六水，鱼目萦中。挺英融铁，禀异吹铜。

气宣管籥，毒制彭虫。静听熟视，条达均通。

《仙经》：三十六水方中时有。苏恭曰：形似鱼目，圆如铁珠。曹植赋：融铁挺英。刘禹锡文：禀异吹铜。《傅子》：心有管籥。《宣室志》：彭者，三尸之姓。刘伶颂：静听不闻雷霆之声，熟视不见太山之形。阮籍论：阴阳调达均通。

扁 青

味甘，平。主目痛，明目，折跌痈肿，金创不瘳，破积聚，解毒气，利精神。久服轻身，不老。生山谷。

朱崖朱提，斯石有扁。质谢蓝成，品分葱浅。

蹈刃夷瘳，攻坚濡软。时有中空，还同万选。

《名医》曰：生朱崖朱提。《诗》：有扁斯石。《北史·传》：青成蓝，蓝谢青。《尔雅》注：青葱，浅青也。苏恭曰：形扁作片而色浅，腹中亦时有空者。《中庸》：白刃可蹈也。《诗》：靡有夷瘳。《魏志·传》注：攻坚易于折枯。《人物志》：拟疑难则濡软而不尽。《唐书·传〈张荐〉》：犹青铜钱，万选万中。

菖 蒲

味辛，温。主风寒湿痹，咳逆上气，开心孔，补五脏，通九窍，明耳目，出声音①。久服轻身，不忘，不迷惑，延年。

---

① 声音：清·顾观光辑《神农本草经》作“音声”。

一名昌阳。生池泽。

一阳来复，昌本先萌。百阴感气，九节敷荣。

飧宜菹醢，候纪催耕。灵台清畅，悦耳流声。

《吕氏春秋》：冬至后，菖始生，百草之先生者。《典术》：感百阴之气为菖蒲。《名医》曰：一寸九节者良。《周礼》注：昌本切之四寸为菹。《庄子》注：灵台者，心也，清畅故忧患不能入。枚乘《七发》：流声悦耳。

鞠　华[①]

味苦，平。主风，头眩肿痛，目欲脱，泪出，皮肤死肌，恶风湿痹。久服利血气，轻身，耐老延年。一名节华。生川泽及田野。

女节女华，是生女几。采周四时，德包五美。

自叶流根，抗茎敷蕊。饮杂芳醪，精调琼靡。

崔实《月令》：女节、女华，菊花之名。《山海经》：女几之山，其草多菊。《名医》曰：正月采根，三月采叶，五月采茎，九月采花，十一月采实。钟会赞：菊有五美。《西京杂记》：饮菊花酒，令人长寿。扬雄《反骚》[②]：精琼靡与秋菊兮。

人　参

味甘，微寒。主补五脏，安精神，定魂魄，止惊悸，除邪气，明目，开心益智。久服轻身，延年。一名人衔，一名鬼盖。生山谷。

摇光散采，涓涓蒙蒙。三桠颖擢，五叶阴浓。

紫云团盖，明月当空。迎年佩结，求我婴童。

---

① 鞠华：清·顾观光辑《神农本草经》作“菊花”。

② 反骚：即《反离骚》。

《春秋运斗枢》：摇光星散而为人参。《卓异记》：紫衣童子歌“山涓涓兮树濛濛，明月愁兮当夜空”，遂于古松下得参一本。高丽人赞：三椏五叶，背阳向阴。《礼斗威仪》：下有人参，上有紫气。《清异录》：咸通后士风，正旦未明，佩紫赤囊，中盛人参，号迎年佩。《易》：童蒙求我。

天门冬

味苦，平。主诸暴风湿偏痹，强骨髓，杀三虫，去伏尸。久服轻身，益气延年。一名颠勒。生山谷。

天门地门，异名分土。引蔓春朝，乘丝夜雨。

重沐美鬈，更坚疾龋。玉垒星桥，墙蘼非伍。

《抱朴子》：或名地门冬。《书》：分土为三。苏颂曰：春生藤蔓，大如钗股，其叶如丝杉而细散。朱子诗：西窗夜来雨。《列仙传》：赤松子服天门冬，齿落更生，细发复出。《诗》：其人美且鬈。《说文》：发好貌。陆游诗：龋齿虽小疾。梁简文帝启：逮自星桥，见珍玉垒。《救荒本草》：墙蘼乃营实苗。《尔雅》指为门冬，或古书错简也。

甘　草

味甘，平。主五脏六腑寒热邪气，坚筋骨，长肌肉，倍力，金创，尰[1]，解毒。久服轻身，延年。生川谷。

春仲秋仲，蠲吉除疴。名符甘美，义致中和。

草木芜秽，乳石偏颇。虽固必解，国老皤皤。

《名医》曰：二月八月除日采，一名蜜甘，一名美草。《中庸》：致中和。甄权曰：治七十二种乳石毒，解一千二百种草木

---

① 尰：自膝至踝及趾俱肿名尰。

毒，调和众药有功。《汉书·传》：芜秽不治。《书》：无偏无颇。《管子》：虽固必解。《名医》曰：一名国老。班固诗：皤皤国老。

干地黄

味甘，寒。主折跌，绝筋，伤中，逐血痹，填骨髓，长肌肉。作汤除寒热积聚，除痹。生者尤良。久服轻身，不老。一名地髓。生川泽。

药之膏油，莫如地髓。露咽甘滋，光存夜视。

枥马驹生，颔丝儿喜。安用金芝，内热一洗。

苏轼《尺牍》：药之膏油，莫如地黄。又诗：咽作瑞露珍。《抱朴子》：楚文子服地黄八年，夜视有光。又：韩子治用地黄苗喂五十岁老马，生二驹。陆游诗：儿稚喜语翁，雪颔生黑丝。寄声山中友，安用求金芝。苏轼诗：愿饷内热子，一洗胸中尘。

术

味苦，温。主风寒湿痹，死肌，痉，疸，止汗，除热，消食。作煎饵。久服轻身，延年，不饥。一名山蓟。生山谷。

子欲绝谷，当服山精。紫花标色，绿叶抽萌。

朝烟夜火，悟拙激清。余香满室，空甑尘生。

《淮南子》：术草者，山之精，服之令人长生绝谷，故《神农药经》曰“子欲长生，当服山精”。庾肩吾启：绿叶抽条，紫花标色。梅尧臣诗：夜火煮石泉，朝烟遍岩窟。柳宗元诗：悟拙甘自足，激清愧同波。邵宝诗：嚼罢不知香满室。范成大诗：摩挲莱芜甑，尘生不须拂。

菟丝子

味辛，平。主续绝伤，补不足，益气力，肥健[①]。汁去面皯。久服明目，轻身，延年。一名兔芦。生川泽。

求系求援，施于松柏。金线垂黄，琼花间白。

感气传形，辞根成魄。下有茯苓，千秋薮泽。

《国语》叔向曰：求系既系矣，求援既援矣。《诗》：施于松柏。《诗》疏：蔓连草上生，黄赤如金。《庚辛玉册》：有花白色微红。《抱朴子》：下有伏兔之根，无此在下，则丝不得生于上，然实不属也。《淮南子》：千秋之松，下有茯苓，上有菟丝。

牛　膝

味苦，酸。主寒湿痿痹，四肢拘挛，膝痛不可屈伸，逐血气，伤热，火烂，堕胎。久服轻身，耐老。一名百倍。生川谷。

膝以形似，本赤茎方。枝枝相对，叶叶相当。

四肢美畅，百倍坚强。功资注下，合散扶伤。

陶弘景曰：有节似膝，故以为名。吴普曰：叶如夏蓝，本赤。李时珍曰：其苗方茎。苏颂曰：节叶两两相对。古诗：枝枝相覆盖。宋子侯诗：花花自相对，叶叶自相当。《易》：美在其中而畅于四肢。《史记·传〈蔡泽〉》：百体坚强。《新论》：从高注下。《后汉书·传〈刘陶〉》：合散扶伤。

茺蔚子

味辛，微温。主明目，益精，除水气，久服轻身。茎主瘾

---

① 肥健：清·顾观光辑《神农本草经》与《本草纲目》均作“肥健人”。

疹痒，可作浴汤。一名益母，一名大札。生池泽。

诗慨有蓷，施于中谷。植茂春融，枯摧夏燠。

刮目益明，澡身具浴。用利坤贞，载生载育。

《诗》注：有蓷。蓷，鵻也。即今益母草。《诗》：施于中谷。李时珍曰：春初生苗，夏至后即枯，其功宜于妇人。《易》注：坤，贞之所利。《诗》：载生载育。

女 萎

味甘，平。主中风暴热，不能动摇，跌筋结肉，诸不足。久服去面黑皯①，好颜色，润泽，轻身，不老。生山谷。

瑞昭礼备，象著威仪。柔筋释结，腴貌生姿。

直标竹箭，垂比缨蕤。表青里白，荧曜春熙。

《瑞应图》：葳蕤者，礼备至则生。嵇康论：染骨柔筋。《人物志》：能在释结。吴儆诗：腴貌伟视听。嵇康诗：顾盼生姿。郭璞曰：大者箭竿有节。李时珍曰：根长多须，如冠缨下垂之緌，而有威仪。苏颂曰：表青里白，亦类黄精。《名医》曰：一名荧，立春后采。

防 葵

味辛，寒。主疝瘕，肠泄，膀胱热结，溺不下，咳逆，温疟，癫痫，惊邪，狂走。久服坚骨髓，益气，轻身。一名梨盖。生川谷。

若防若葵，审名辨类。瘕结石坚，腹逆水沴。

顿席清凉，遂澄朗慧。介祉除邪，时维濯禊。

苏恭曰：根叶似葵，香味似防风，故名防葵。《说文》：沴，

① 皯：清·孙星衍等辑《神农本草经》作"皯"。

水不利也。《黄庭经》：飘飘三帝席清凉。《太清神仙众经要略》：其意明澄朗慧。吴普曰：三月三日采根。《风俗通》：禊者，洁也；已者，祉也；邪病已去，祈介祉也。刘孝绰诗：濯禊元巳初。

茈　胡

味苦，平。主心腹，去肠胃中结气，饮食积聚，寒热邪气，推陈致新。久服轻身，明目，益精。一名地熏。苏恭曰：茈，古柴字。

求辞沮泽，美著华阳。怀新蒻白，耐老花黄。

尾蟠鼠伏，香引鹤翔。陶蒸灵气，上达中强。

《战国策》：今求柴胡、桔梗于沮泽，则累世不得一焉。《吕氏春秋》：菜之美者，华阳之芸。陶潜诗：良苗亦怀新。苏颂曰：七月开黄花，根有赤毛如鼠尾。雷敩论：茈胡生处，多有白鹤、绿鹤来翔，是香直上云间。柳宗元文：灵气陶蒸。《周礼》：矢人中强则扬。

麦门冬

味甘，平。主心腹结气，伤中，伤饱，胃络脉绝，羸瘦，短气。久服轻身，不老，不饥。生川谷及堤坂。

佳隶阶除，凌冬丛碧。贯磊琲珠，麸苞穬麦。

乌韭西秦，羊蓍东越。一枕清风，手煎灵液。

范成大诗：门冬如佳隶，长年护阶除。吴普曰：一名忍冬，一名忍凌。范成大诗：杳杳入丛碧。苏颂曰：有须在根，如连珠形。左思赋注：珠十贯为一琲。陶弘景曰：根似穬麦。《玉篇》：麸，麦壳。穬，大麦也。《名医》曰：秦名乌韭，越名羊蓍。苏轼诗：一枕清风直万钱，知是东坡手自煎。郭璞诗：钟山出灵液。

独　活

味苦，平。主风寒所击，金创止痛，贲豚，痫痓，女子疝瘕。久服轻身，耐老。一名羌活，一名羌青，一名护羌使者。生川谷。

面风独立，顾盼中摇。蚕头奋簇，鞭节垂梢。

护羌紫艳，缘栈黄娇。石擘壤沃，易叶同条。

吴普曰：此药有风花不动，无风自摇。刘禹锡诗：面风摇羽扇。《易》：君子以独立不惧。《五灯会元》：外寂中摇。《易简方》曰：用紫色有蚕头鞭节者。颜延之赋：垂梢植发。苏颂曰：陇西者紫色，西蜀者黄色，叶黄者是夹石上所生，叶青者是土脉中所生。《礼》：贯四时而不改柯易叶。《汉书·传》：同条共贯。

车前子

味甘，寒。无毒。主气癃，止痛，利水道小便，除湿痹。久服轻身，耐老。一名当道。生平泽。

当道轮旋，如匙薄有。穗结鼠拖，迹遗牛后。

精化仙衣，春盈女手。作药天中，宜男相友。

《救荒本草》：一名车轮菜。苏颂曰：春初生苗，叶布地如匙面，中抽数茎，长穗如鼠尾。《诗》：薄言有之。《诗》疏：喜在牛迹中生。《名医》曰：一名牛遗。《神仙服食经》：一名地衣，雷之精也；一名羽化。白居易诗：芣苢春来盈女手。张籍诗：开州午日车前子，作药人皆道有神。《提要录》：五月五日午时为天中节。《名医》曰：强阴益精，令人有子。章楶词：今朝斗草得宜男。

木 香

味辛。主邪气，辟毒疫温鬼，强志，主淋露。久服不梦寤魇寐。生山谷。

形符地数，香达天垂。五叶五节，五根五枝。

魇惊夜靖，瘴毒朝披。尝余挂齿，分割蜜脾。

《易》：地数五。《三洞珠囊》：青木香，一株五根，一根五枝，一枝五节，一节五叶，故名五香，烧之上彻九天也。《隋书·传》：吐谷浑多瘴气，献青木香以御雾露。苏颂曰：形如枯骨，粘牙者良。《名医》曰：一名蜜香。

薯 蓣

味甘，温。主伤中，补虚羸，除寒热邪气，补中，益气力，长肌肉。久服耳目聪明，轻身，不饥，延年。一名山芋。生山谷。

景山升山，紫藤蕃秀。云腻香酥，虹晴春透。

白玉能延，黄金共寿。小剧顷筐，鼎烹察候。

《山海经》曰：景山其草多藷薁。又：升山其草多藷薁。龚璛歌：绿薜紫藤湘色子，种玉绵延春透髓，晴虹岁晚寒不起。《四气调神》：经夏三月，此谓蕃秀。张镃词：云香酥腻老来便。《广雅》：玉延，署豫也。江淹颂：黄金共寿。朱子诗：小剧顷筐可代耕，石鼎何妨手自烹。

薏苡仁

味甘，微寒。主筋急拘挛，不可屈伸，风湿痹，下气。久服轻身益气。其根下三虫。一名解蠡。生平泽及田野。

名称解蠡，掷米如珠。津溢渴解，身健衰扶。

玉匙流滑，金井秋初。奇才勿弃，后载盈车。

《神仙传》：麻姑掷米，皆成丹砂。苏颂曰：一名薏珠子。梅尧臣诗：偶病相如渴，为饮可扶衰。陆游诗：滑欲流匙香满屋，奇才从古弃草菅。高士谈诗：井边薏苡吐秋珠。《后汉书·传〈马援〉》：大军还，以南方薏苡实载之一车。

泽　泻

味甘，寒。主风寒湿痹，乳难，消水，养五脏，益气力，肥健。久服耳目聪明，不饥，延年，轻身，面生光，能行水上。一名水泻，一名芒芋，一名鹄泻。生池泽。

采蕒彼汾，泻如泽水。独植修茎，双分歧尾。

光鉴留颜，腾波举趾。牛舌牛唇，分形具美。

《诗》：彼汾一曲，言采其蕒。李时珍曰：去水曰泻，如泽之泻水也。苏颂曰：独茎而长，叶似牛舌。陶弘景曰：尾间必有两歧为好。曹植赋：飞花鉴于天庭。谢庄诗：金丹玉液岂留颜。左思赋：腾波沸涌。《诗》：四之日举趾。《尔雅》：蕒牛唇。《南史·传〈柳恽〉》：可谓具美。

远　志

味苦，温。主咳逆，伤中，补不足，除邪气，利九窍，益智慧，耳目聪明，不忘，强志，倍力。久服轻身，不老。叶名小草。一名棘菀，一名葽绕，一名细草。生山谷。

喻志决远，出处何差。近洛玉粲，浮泗丹葩。

根疑鹿食，苗杂龙沙。醒心月朗，倍力风加。

《荀子》：人主必有足使喻志决疑于远方者，然后可。《世说》郝隆答桓公：处则为远志，出则为小草。苏颂曰：河洛陕西郡有之，开白花，泗州者花红，根如蒿根，苗如麻黄。《书》疏：惟洛食近洛，而其兆得吉。刘桢赋：曒玉粲以耀目。《书》：

浮于泗。《列仙传》：颜耀丹葩。《诗》：呦呦鹿鸣，食野之蒿。《广雅》：龙沙，麻黄也。《记事珠》：远志为醒心杖。陆机诗：明月一何朗。《法书要录》：风加而众草靡。

龙　胆

味苦，涩①。主骨间寒热，惊痫，邪气，续绝伤，定五脏，杀蛊毒。久服益智，不忘，轻身，耐老。一名陵游。生山谷。

茹苦若饴，味宜尝胆。葵叶阳倾，竹枝露泫。

银蒜宛垂，金铃孰撼。夏茂冬藏，宿根勿剪。

陈造诗：茹苦耐煎熬。李珣歌：尝胆不苦味若饴。马志曰：叶如龙葵，味苦如胆，故名。苏颂曰：四月生叶如嫩蒜，细茎如竹枝，七月开花如牵牛，作铃铎状，冬后结子，苗便枯。曹植表：葵藿之倾叶太阳。王勃诗：露泫竹潭枝。欧阳修诗：银蒜钩帘宛地垂。李商隐诗：鹰掣撼金铃。《诗》：勿剪勿伐。

细　辛

味辛，温。主咳逆，头痛脑动，百节拘挛，风湿痹痛，死肌。久服明目，利九窍，轻身，延年。一名小辛。生山谷。

华阴五沃，小辛少辛。纤根独立，双叶非伦。

椒聊含馥，葵影交新。杜衡貌似，铲伪覈真。

《名医》曰：生华阴山谷。《管子》：五沃之土，群药生少辛。马融赋：蹉纤根。李当之曰：细辛一根一叶相连。雷敩论：双叶者，服之害人。《晋书·传》：非卿伦也。《梦溪笔谈》：嚼之习习如椒。寇宗奭曰：叶如葵，赤黑色。骆宾王序：披玉叶以交新。苏颂曰：今人多以杜衡为之。《唐书·传赞》：铲伪

① 涩：《千金翼》《本经疏证》作“寒”；《本草纲目》作“涩，大寒，无毒”。

以真。

石　斛

味甘，平。主伤中，除痹，下气，补五脏，虚劳羸瘦，强阴。久服厚肠胃，轻身，延年。一名林兰。生山谷。

幽谷薰风，敷芬布畅。整插金钗，攒丛翠障。

林窃兰名，节如竹状。润说千年，神恬津藏。

《诗》：出于幽谷。柳公权联句：薰风自南来。苏颂曰：五月生苗。张协赋：和风穆以布畅，百卉蔚而敷芬。刘绮诗：整插补余空。李时珍曰：蜀人呼为金钗花。江淹赋：攒丛石径。苏轼诗：乱山横翠障。苏恭曰：石斛如竹，节间生叶。李时珍曰：俗称为千年润。元稹诗：神恬津藏满。

巴戟天

味辛，微温。主大风邪气，阴痿不起，强筋骨，安五脏，补中，增志，益气。生山谷。

森森戟列，巴峡蜀天。连珠的皪，三蔓葱芊。

秋风敛实，冬日扬鲜。山葎着白，假紫奮缘。

李白诗：列戟何森森。沈佺期诗：西南出巴峡。杜甫诗：蜀天常夜雨。苏恭曰：根如连珠，俗名三蔓草，经冬不枯。《司马相如传》：的皪江靡。颜延之诗：积翠亦葱芊。苏颂曰：至秋结实。潘尼赋：收华敛实。顾恺之赋：含馨扬鲜。苏颂曰：山葎根色白，土人以醋煮之色紫，杂巴戟。《唐书·传〈李泌〉》：着白者，山人也。《唐书·纪》：假紫及绯。孟浩然诗：沙岸晓奮缘。

白　英

味甘，寒。主寒热，入疸，消渴，补中，益气。久服轻身，延年。一名谷菜。生山谷。

白幕排风，五桠蔓绕。叶展春妍，茎繁夏燠。

花粲秋高，根蟠冬杪。杂缀珰珠，赤光目瞭。

陈藏器曰：一名白幕。李时珍曰：俗名排风子，言其功用。苏恭曰：蔓生叶长而五桠。《名医》曰：春采叶，夏采茎，秋采花，冬采实。裴澄诗：映林初展叶。白居易诗：春妍景丽草树光。张协赋：繁茎筱密。谢灵运赋：夏凉寒燠。沈约诗：间幌望高秋。蔡珪诗：乃复见冬杪。郭璞曰：子赤色如耳珰珠。苏恭曰：一名鬼目草。韩驹诗：但存双目瞭。

白　蒿

味甘，平。主五脏邪气，风寒湿痹，补中益气，长毛发令黑，疗心县，少食常饥。久服轻身，耳目聪明，不老。生川泽。

留青还白，匪莪伊蒿。秋飔瑟瑟，寒水迢迢。

蓼零露湑，荐杂溪毛。吴酸调瀹，清羡吾饕。

苏恭曰：白蒿所在有之，粗于青蒿，至秋白于众蒿。《武帝内传》：还白留青。《诗》：匪莪伊蒿。颜延之诗：秋飔冬未至。杨炯赋：风萧萧兮瑟瑟。沈约诗：开襟濯寒水。苏轼诗：迢迢涧水随人急。《诗》：零露湑兮。《左传》：涧溪沼沚之毛，苹蘩蕰藻之菜，可荐于鬼神。《大招》注：蒿蒌，吴人善调酸，瀹为齑。许有孚诗：或羡吾饕是清福。

赤　箭

味辛，温。主杀鬼精物，蛊毒，恶气。久服益气力，长服肥健，轻身，增年。一名离母，一名鬼督邮。生川谷。

标异赤芝，秆如立箭。角濈羊蕃，肤函龙见。

豆粒还筒，芋魁铺练。风定自摇，应辞夏扇。

谢灵运赋：既标异于前章。甄权曰：一名赤箭芝。张耒诗：遗秆如立箭。《梦溪笔谈》：肉色坚白如羊角色。《诗》：其角濈濈。刘商诗：塞马蕃羊临霜霰。柳宗元文：仁函于肤。《孝经援神契》：德，至于水泉，则黄龙见。苏颂曰：其皮黄白色，名曰龙皮，结子如豆粒大，至夏不落，透入茎中，潜生土内，根如芋魁，有游子十二枚，周环之。李时珍曰：俗名还筒子。李损之诗：匝地如铺练。陶弘景曰：有风不动，无风自摇。李益诗：凉轩辞夏扇。

奄闾子

味苦，微寒。主五脏瘀血，腹中水气，胪胀，留热，风寒湿痹，身体诸痛。久服轻身，延年不老。生川谷。

凌冬落实，材取充闾。菊疏叶薄，艾拾茎粗。

毒辟荒虺，仙诧驹驉。宣通三气，心安故庐。

《名医》曰：十月采实。《左传》：我落其实，而取其材。苏轼诗：郁葱佳气夜充闾。李时珍曰：叶似菊叶而薄，茎如艾茎而粗。皮日休诗：疏菊卧烟茎。骆宾王启：拾艾幽人。陶弘景曰：种此辟蛇。沈佺期诗：截荒虺。吴普曰：駏驉食之神仙。《黄帝内经》曰：风寒湿①三气杂至，合而为痹。范成大诗：即境心安是故庐。

析蓂子

味辛，微温。主明目，目痛，泪出，除痹，补五脏，益精

① 湿：原作“食”，据《素问·痹论》改。

光。久服轻身，不老。一名蔑析，一名大蕺，一名马辛。生川泽及道旁。

川潦道周，萋然美盛。七叶乖和，五轮瞀病。

积泻倾杯，明回借镜。续寿标灵，乐含腹咏。

《诗笺·葛覃》：叶萋然，喻其容色美盛也。甄权曰：治肝家积聚。《史记·传》：肝左三叶，右四叶。苏轼诗：吾于五轮间。《庄子》：适有瞀病。《黄帝内经》曰：肝脉微急为肥气，在胁下若覆杯。《新论》：人目短于自见，故借镜以观形。欧阳修帖子：宝曲标灵日，万寿续天长。《吴志·传〈胡综〉》：心歌腹咏，乐于归附。吴普曰：五月五日采，治腹胀。

蓍　实

味苦，平。主益气，充肌肤，明目，聪慧，先知。久服不饥，不老，轻身。生山谷。

草之耆寿，端植灵蓍。神圆龟守，奇表云垂。

是名大慧，可以前知。青逾艾实，荣逮秋期。

《埤雅》：草之多寿者，故字从耆。《唐书·传〈冯定〉》：端凝若植。《论衡》：犹灵蓍神龟。《易》：蓍之德圆而神。《史记·传》：蓍生满百茎者，下必有神龟守之，其上常有青云覆之。康子玉赋：覆青云以表奇。杜甫赋：九天之云下垂。李鼎《偶谈》：是名大慧。《中庸》：可以前知。苏颂曰：秋后有花，结实如艾实。《诗》：秋以为期。

赤黑青白黄紫芝

赤芝：味苦，平。主胸中结，益心气，补中，增慧智，不忘。久食轻身，不老，延年，神仙。一名丹芝。

黑芝：味咸，平。主癃，利水道，益肾气，通九窍，聪察。

久食轻身，不老，延年，神仙。一名玄芝。

青芝：味酸，平。主明目，补肝气，安精魂，仁恕。久食轻身，不老，延年，神仙。一名龙芝。

白芝：味辛，平。主咳逆上气，益肺气，通利口鼻，强志意，勇悍，安魄。久食轻身，不老，延年，神仙。一名玉芝。

黄芝：味甘，平。主心腹五邪，益脾气，安神，忠信，和乐。久食轻身，不老，延年，神仙。一名金芝。

紫芝：味甘，温。主耳聋，利关节，保神，益精气，坚筋骨，好颜色。久服轻身，不老，延年。一名木芝。生山谷。

三秀六芝，慈仁上瑞。肪白珊红，金黄羽翠。

漆抹黮云，笥萌紫帔。大药可求，龟龙百岁。

《尔雅》注：芝一岁三华，瑞草。《宋书·志》：王者慈仁则生。《抱朴子》：赤者如珊瑚，白者如截肪，黑者如泽漆，青者如翠羽，黄者如紫金。气和畅则生，玉茎紫笋。束皙诗：黮黮重云。《稽神录》：报盈以绣羽紫帔。苏轼诗：古来大药不可求。苏辙诗：龟龙百岁岂知道。

卷　柏

味辛，温①。主五脏邪气，女子阴中寒热痛，癥瘕，血闭，绝子。久服轻身，和颜色。一名万岁。生山谷石间。

含春时发，莳植无稽。白石凿凿，芳草萋萋。

斑窥豹隐，拳屈鸡栖。长生万岁，名与柏齐。

梁简文帝赋：草含春而色动。《易》：以时发也。《唐书·志》：司苑掌园囿莳植。《书》：无稽之言勿听。《诗》：白石凿凿。《楚辞》：芳草生兮萋萋。《晋书·传》：管中窥豹，时见一

---

① 温：此下原衍“生山谷”3字，据体例及文义删。

斑。吴普曰：一名豹足。苏颂曰：春生苗似柏叶而细，拳屈如鸡足。李时珍曰：俗名长生不死草。

蓝　实

味苦，寒。主解诸毒，杀蛊蚑、注①鬼、螫毒。久服头不白，轻身。生平泽。

三刈襜盈，芳滋悦染。角蕴青浓，蕤垂红浅。

蠚毒冰消，蛊蚑雾敛。黑发春新，丹和九转。

李时珍曰：岁可三刈，五、六月开花成穗，细小浅红色，结角长寸许，如小豆角。《诗》：不盈一襜。王季友诗：芳蓝滋疋帛。梁简文帝文：悦染笙歌。《唐书·传》：瓦解冰消。王勃序：群疑雾敛。王建诗：春来黑发新。《洞冥记》：和九转之丹服之。

芎　劳

味辛，温。主中风入脑头痛②，寒痹，筋挛缓急，金创，妇人血闭无子。生川谷。

穿林间觅，横理春分。蛇床蕊碎，雀脑纹纷。

翠含清露，香绕黄云。调羹瀹茗，御湿功勤。

苏轼诗：穿林间觅野芎苗。李时珍曰：清明后，宿根生苗，分其枝而横理之。苏颂曰：七、八月开碎白花如蛇床子，根黄黑色作雀脑状。苏轼诗：濯濯翠茎满，愔愔清露涵。黄庭坚诗：一穗黄云绕几。宋祁赞：可糁于羹。韩琦诗：时摘嫩苗烹赐茗。《左传》注：鞠䓖所以御湿。

---

① 注：通“疰”。《丹溪心法》卷一：“注夏属阴虚，元气不足，夏初春末，头疼脚软，食少体热者是。”

② 入脑头痛：《太平御览》作“入头脑痛”。

蘼　芜

味辛，温。主咳逆，定惊气，辟邪恶，除蛊毒鬼注，去三虫。久服通神。一名薇芜。生川泽。

将寄所思，行吟泽畔。飕飕秋风，霏霏清旦。

翠掬衣沾，香通鼻观。松菊齐俦，椒兰并粲。

张翥诗：拟折芳馨寄所思。《史记·传〈屈原〉》：行吟泽畔。湛方生赋：飕飕微扇。李贺诗：沙上蘼芜花，秋风已先发。孟郊诗：草色琼霏霏。曾肇诗：采采乘清旦。赵嘏诗：掬翠香盈袖。孟迟诗：莫送香风入客衣。陈樵诗：此时鼻观通。苏籀诗：介特有如松，繁华匪惭菊。《离骚》：览椒兰其若兹兮。

黄　连

味苦，寒。主热气，目痛，眦伤，泣出，明目，肠澼，腹痛，下痢，妇人阴中肿痛。久服令人不忘。一名王连。生川谷。

珠连九节，色以黄标。鹰鞲欲脱，雉尾方翘。

断凉涤暑，御孽辟妖。味能忘苦，导利中焦。

韩保昇曰：节高若连珠。苏颂曰：宣城九节者为胜，根黄叶如小雉尾。李时珍曰：如鹰鸡爪形而坚实。王微赞：断凉涤暑。江淹颂：御孽辟妖，长灵久视。僧智舷诗：不是性味移，头陀能忘苦。张元素曰：去中焦湿热。

络　石

味苦，温。主风热，死肌，痈伤，口干舌焦，痈肿不消，喉舌肿①，水浆不下。久服轻身，明目，润泽，好颜色，不老

① 喉舌肿：《本草纲目》作“喉舌肿闭”，并注为《本经》文。

延年。一名石鲮[1]。生川谷。

青蔓连延，龙鳞结络。灌植灵根，疏通幽篇。

身镜华精，神庭灼烁。得此石交，烟霞向托。

苏恭曰：此物冬夏常青，其茎蔓延绕树石侧。《名医》曰：一名石龙藤。吴普曰：一名鳞石。郭璞赋：龙鳞结络。《黄庭经》：灌溉五华植灵根。注：舌，本也。《礼》：疏通知远。沈约诗：歌幽篇且未调。《真诰》：目者身之镜，面者神之庭。《黄庭经》：通利华精。注：目，精也。蔡邕赋：荣华灼烁。《史记·传〈苏秦〉》：喜此而得石交。陆龟蒙诗：且向烟霞托。

蒺藜子

味苦，温。主恶血，破癥结，积聚，喉痹，乳难。久服长肌肉，明目，轻身。一名旁通，一名屈人，一名止行，一名豺羽，一名升推。生平泽或道旁。

屈人疾利，布地缘墙。据之破结，走且妨僵。

林森豺羽，波飐菱芒。象形铁铸，渠答铦钢。

李时珍曰：其刺伤人甚疾利也。陶弘景曰：多生道旁及墙头，其叶布地，子有刺状如菱。《易》：据于蒺藜。苏轼碑：汗流籍湜走且僵。李子卿赋：戈矛林森。白居易诗：镜动波飐菱。《尔雅翼》：镇蒺藜起于隋，谓之渠答。李观文：铦钢之利器。

黄　耆

味甘，微温。主痈疽，久败创，排脓止痛，大风癞疾，五痔，鼠瘘，补虚，小儿百病。一名戴糁。生山谷。

通理三焦，甘先五变。赤白流同，短长形辨。

---

[1] 石鲮：《吴普本草》《太平御览》作“鲮石”；《本草纲目》此处未注为《本经》文。

细韧柔绵，缓抽修箭。苜蓿根坚，岂容托援。

《易》：君子黄中通理。王好古曰：是上中下内外三焦之药。《淮南子》：味有五变，甘其主也。日华子曰：赤水蓍、白水蓍，功用并同。苏颂曰：今河东陕西州郡多有之，根长二三尺，木耆短而理横，其皮折之如绵。李时珍曰：以坚实如箭竿者良。王好古曰：苜蓿根味苦，坚脆宜审。卢仝诗：托援交情重。

肉苁蓉

味甘，微温。主五劳七伤，补中，除茎中寒热痛，养五脏，强阴，益精气，多子，妇人癥瘕。久服轻身。生山谷。

阴阳司命，福禄丛生。名假肉食，体遍鳞文。

妄言马沥，杂啖羊羹。从容中道，补益功成。

日华子曰：治男子绝阳，女子绝阴。吴普曰：一名黑司命。韩保昇曰：出肃州福禄县沙中。《左传》：肉食者鄙。《南史·纪〈齐高帝〉》：鳞文遍其体。苏颂曰：旧说是野马遗沥所生。陶弘景曰：以作羊羹补虚乏。李时珍曰：补而不峻，故有从容之号。《中庸》：从容中道。

防　风

味甘，温，无毒。主大风头眩痛，恶风，风邪，目盲无所见，风行周身，骨节疼痛，烦满。久服轻身。一名铜芸。生川泽。

叉尾叉头，区分无隐。萎散香芬，萝攒房紧。

美比珊瑚，坚同蚯蚓。卅六风消，神光炯炯。

《名医》曰：叉尾者令人痼疾，叉头者令人发狂。《论语》：吾无隐乎尔。苏颂曰：五月开细白花，中心攒聚作大房，似莳萝花，实如胡荽子。李时珍曰：嫩苗辛甘而香，时人呼为珊瑚菜。陶弘景曰：节坚如蚯蚓头者良。日华子曰：治三十六般风。陆游诗：炯炯神光夕照梁。

蒲　黄

味甘，平。主心腹膀胱寒热，利小便，止血，消瘀血。久服轻身，益气力，延年神仙。生池泽。

碧抽烟剑，极浦遥汀。梗端环抱，蕊粉飘零。

盈握香绽，飏采金荧。下余白蒻，笋蔌含馨。

陆龟蒙诗：旋抽烟剑碧参差。周针赋：傍极浦，依遥汀。苏颂曰：夏抽梗于丛叶中，花抱梗端，花中蕊屑，细若金粉，中心入地，白蒻，啖之甘脆。蒋防赋：带环抱之珥。谢惠连赋：从风飘零。《诗》：其蔌维何，维笋及蒲。

香　蒲①

味甘，平。主五脏心下邪气，口中烂臭，坚齿，明目，聪耳。久服轻身，耐老。一名睢。生池泽。

冒水茸茸，丛生春乍。肥茁红浮，脂凝白亚。

菡萏东西，蜻蜓高下。先攻心邪，神奇臭花。

苏颂曰：春初生嫩叶，出水时红白茸茸然。谢眺诗：间厕秋菡萏。姚合诗：东西分艳影相连。薛蕙诗：蜻蜓高下逐。《荀子》：我先攻其邪心。《庄子》：化臭腐为神奇。

续　断

味苦，微温。主伤寒，补不足，金创，痈伤②，折跌，续筋骨，妇人乳难。久服益气力。一名龙豆，一名属折。生山谷。

---

① 香蒲：《本草图经》："香蒲，蒲黄苗也"。

② 痈伤：《本草纲目》《本草经解》《图考长编》作"痈疡"。

断者可续，责实循名。四棱茎直，相对叶生。

红参白腻，赤抱黄明。烟尘瘦折，露汁浮罂。

《礼》疏：一成而不可变，断者不可复续也。《淮南子》：循名责实。苏颂曰：苗干四棱，叶两两相对而生，开花红白色，根赤黄色。张翰诗：素质参红。秦观词：轻红腻白。申时行赋：初抱赤兮若倾。《墨经》：黄者曰黄明松品。李时珍曰：色赤而瘦，折之有烟尘者良。陶弘景曰：七月、八月采，根有汁。《洞冥记》：露汁如珠。沈与求诗：出没沙际如浮罂。

漏　芦

味苦、咸，寒。主皮肤热，恶创，疽痔，湿痹，下乳汁。久服轻身，益气，耳目聪明，不老延年。一名野兰。生山谷。

候纪白藏，称奇守黑。麻荚支分，角蒿盈尺。

寒浸菊华，秋澄莲碧。突兀乔山，上清灵宅。

《尔雅》：秋为白藏。李时珍曰：秋后即黑，异于众草。白居易赋：守其黑所以称奇。苏恭曰：七、八月后皆黑，异于众草，叶似角蒿，生荚，长似细麻之荚。苏颂曰：秦州者，花似单叶寒菊；海州者，花紫碧如单叶莲花。《名医》曰：生乔山。陶弘景曰：黄帝所葬处。《云笈七签》：上清灵宅。

营　实①

味酸，温。主痈疽，恶创，结肉跌筋，败创，热气，阴湿不瘳，利关节。一名墙薇②，一名墙麻③，一名牛棘④。生川谷。

---

① 营实：《吴普本草》《太平御览》作“蔷薇”。

② 墙薇：《本草纲目》注为《名医别录》文。

③ 墙麻：《本草纲目》无此2字。

④ 牛棘：《太平御览》作“牛膝”。

异名牛棘，艳说鸡苗。青珠碎簇，红颗香饶。

金樱怀核，赤杜分条。和酸捩齿，阴蚀潜消。

《花史》：许司马后圃，蔷薇根下，如鸡五色，呼为玉鸡苗。李时珍曰：结子成簇，生青熟红，其核有毛，如金樱子核。方岳诗：真珠碎簇玉蝴蝶。苏颋诗：香饶点便风。韩保昇曰：子若杜棠子。《礼》：其有核者，怀其核。《新论》：分条布叶。陆游诗：村醪捩齿酸。

天名精

味甘，寒。主瘀血，血瘕欲死，下血，止血，利小便。久服轻身，耐老。一名麦句姜，一名虾蟆蓝，一名豕首。生川泽。

豕首彘颅，义难研括。气厌狐臊，功称鹿活。

面皱非吹，衣黏不脱。通化瘀痂，长嬴采掇。

《尔雅》：茢薽豕首。《名医》曰：一名彘颅，五月采。陶弘景序：研括烦省。李时珍曰：嫩苗绿色，似皱叶菘芥，微有狐气，一名皱面草，结实如蒿子，狐气，最粘人衣。苏恭曰：即活鹿草也。《尔雅》：夏为长嬴。

决明子

味咸，平。主青盲，目淫，肤赤白膜，眼赤痛泪出。久服益精光，轻身。生川泽。

龙门嘉种，香雾盈畦。金钱无数，翠羽初齐。

青披细角，绿印簇蹄。黑甜一枕，明决昏翳。

《名医》曰：生龙门。黄庭坚诗：后皇富嘉种。吴宽诗：畦间香雾正氤氲。杜甫诗：着叶满枝翠羽盖，开花无数黄金钱。李时珍曰：结角如初生豉豆，角中子数十粒，参差相连，状如马蹄，青绿色，以明目之功而名。苏轼诗：一枕黑甜余。虞淳熙诗：午夜失昏鳖。

丹　参

味苦，微寒。主心腹邪气，肠鸣幽幽如走水，寒热，积聚，破癥，除瘕，止烦满，益气。一名郄蝉草。生山谷。

自抱丹心，方棱青叠。独干丛根，一枝五叶。

肠罢辘轳，身轻蹀躞。红紫纷纷，飞蛾形接。

吴融诗：皇恩自抱丹心报。苏颂曰：茎方有棱，青色，一苗数根。李时珍曰：一枝五叶，小花成穗如蛾形，红紫色。陆龟蒙诗：愁因辘轳转。苏轼诗：蹀躞身轻山上走。萧炳曰：治风软脚，可逐奔马，故名奔马草。《列子》：形接为事。

茜　根

味苦，寒。主寒湿风痹，黄疸，补中。生川谷。

茹芦在阪，蔓引山龙。刺含寸节，筋束方空。

别尊染绛，分剂留红。用祈多积，千户侯封。

《尔雅》注：茹芦、茅蒐，今之茜也。《诗》疏：茹芦，徐州人谓之牛蔓。朱震亨曰：一名过山龙。李时珍曰：十二月生苗，蔓延数尺，方茎中空有筋，外有细刺，数寸一节。《白虎通德论》：可以染绛，别尊卑也。《晋书·传〈华佗〉》：心解分剂。《埤雅》：尘尾留红。韩保昇曰：根紫赤色。《礼》：不祈多积。《史记·传》：千亩卮茜，其人与千户侯等。

飞　廉

味苦，平。主骨节热，胫重酸疼。久服令人身轻。一名飞轻。生川泽。

取象神禽，飞走名夥。箭羽轻飏，绵茸旁裹。

叶刻残棱，毛浮碎颗。顿洗清凉，百骸安妥。

李时珍曰：飞廉，神禽之名，能致风气。《名医》曰：一名飞雉，一名伏兔，一名伏猪。陶弘景曰：茎轻有皮似箭羽，叶多刻缺。《梦溪笔谈》：根如牛蒡而绵，头有白茸。韩保昇曰：花紫色，子毛白。苏轼诗：清凉洗烦煎。

五味子

味酸，温。主益气，咳逆上气，劳伤羸瘦，补不足，强阴，益男子精。生山谷。

含春缔架，引蔓抽茎。莲花貌似，豌豆实成。

味殊口爽，济自心平。品珍北产，白扑霜轻。

梁简文帝赋：草含春而动色。卢鸿一歌：资人力之缔架。苏颂曰：春初生苗，引赤蔓于高木，三、四月开花类莲花，七月成实如豌豆许大。《道德经》：五味令人口爽。《左传》：先王之济五味，以平其心。李时珍曰：北产者良。雷敩论：小颗皮皱，泡有白扑盐霜一重为真。

旋　华

味甘，温。主益气，去面皯黑色，媚好。其根味辛，主腹中寒热邪气，利小便。久服不饥，轻身。一名筋根花，一名金沸。生平泽。

截寸苗生，浃旬可数。疏细缠枝，虚圆旋鼓。

筋力刚坚，容颜媚妩。被陇交塍，耰锄刈取。

寇宗奭曰：其根寸截置土，灌溉涉旬，苗生田野间甚多，最难锄艾，治之又生。李时珍曰：干叶者色粉红，俗呼缠枝牡丹，其花不作瓣，状如军中所吹鼓子，故有旋华鼓子之名。《名医》曰：根主续筋，南人呼为续筋根。《管子》：强力刚坚。元好问诗：意态工媚妩。庾信诗：被陇文瓜熟，交塍香穗低。苏轼说：耰锄铚艾，相寻于上。《诗》笺：错薪我欲刈取之。

兰　草

味辛，平。主利水道，杀蛊毒，辟不祥。久服益气，轻身，不老，通神明。一名水香。生池泽。

沅湘纫珮，溱洧湔裾。斜抛燕剪，初浴鸡苏。

福祥云集，毒蛊风除。千金良是，九畹息诬。

《九歌》：浩浩沅湘。《离骚》：纫秋兰以为珮。《诗》疏：秉蕑即兰香草。梁简文帝诗：湔裾出乐游。马志曰：其叶有歧，俗呼燕尾香。李时珍曰：开花成穗，如鸡苏，花红白色。梁简文帝序：云集雾会。《唐书·传赞》：霆扫风除。方回说：古之兰草，即今之千金草。陆游诗：洛阳二顷言良是。杨慎曰：世以如萱蒲者为兰，九畹之受诬久矣。

蛇床子

味苦，平。主妇人阴中肿痛，男子阴痿湿痒，除痹气，利关节，癫痫，恶创。久服轻身。一名蛇米①。生川谷及田野。

湿闭幽墟，饥蛇凝恋。芎叶槎丫，蒿枝峭茜。

百结同窠，双粒合片。蘼弱芜繁，令人目眴。

黄滔诗：苍榛闭幽墟。李时珍曰：蛇虺喜卧于下，食其子。苏轼诗：饥蛇不汝放。李邕妻温氏表：岁时凝恋。韩保昇曰：下湿地皆有，叶似小叶芎䓖。苏颂曰：三月生苗，作丛似蒿枝，每枝有花头，百余结同一窠。李时珍曰：其子两片合成。《淮南子》：乱人者，蛇床之与蘼芜。张名由诗：令人心目眴。

地肤子

味苦，寒。主膀胱热，利小便，补中，益精气。久服耳目

① 蛇米：《本草纲目》作“蛇粟”。

聪明，轻身，耐老。一名地葵。生平泽及田野。

星精散采，宛转沿涯。千心春满，独帚风斜。

舌扪鸭喋，眠起蚕沙。商秋敛实，沐浴光华。

苏颂曰：星之精也。一名独帚，一名鸭舌草，八月秸干成可采。《土宿指南》：一名千心草。韩愈诗：宛转沿涯到深处。日华子曰：子色青，似一眠初起蚕沙之状。潘尼赋：商秋授气，收华敛实。甄权曰：去热风可作汤沐浴。《黄庭经》：体生光华气香兰。

景　天

味苦，平。主大热，火创，身热烦，邪恶气。花主女人漏下赤白。轻身，明目。一名戒火，一名慎火。生川谷。

枝折经旬，柔茎苒苒。气自含凉，功施止焰。

寓秀庭除，栖芬屋广。火母名奇，丹砂就敛。

寇宗奭曰：折枝置土中，浇溉旬日便生。王粲赋：挺柔茎之苒苒。傅咸赋：气泠泠以含凉。范筠诗：止焰或有施。卞敬宗赞：寓秀间庭。谢灵运赋：夕栖芬而气敷。苏颂曰：南北皆有之，种于中庭，或盆置屋上。《名医》曰：一名火母。日华子曰：可煅朱砂。

因　陈

味苦，平。主风湿寒热邪气，热结黄疸。久服轻身，益气，耐老。生丘陵阪岸上。

生生不息，陈陈相因。冬藏根蛰，春度萌伸。

叶觅八角，饼荐三晨。疴蠲黄湿，耳食仙麃。

《易》：生生之谓易。《礼》：流而不息。《汉书·志》：陈陈相因。陈藏器曰：此虽蒿类，经冬不死，更因旧苗而生，故名因陈。雷敩论：凡使须用叶有八角者。李时珍曰：淮扬人二月三日采因陈苗，和粉作饼食之。《史记·年表》：此与以耳食无异。《名医》曰：白兔食之仙。

杜　若

味辛，微温。主胸隔[1]下逆气，温中，风入脑户，头痛[2]，多涕泪出。久服益精，明目，轻身。一名杜衡。生川泽。

葵状蘼馨，烟霏露裛。幽坂崇冈，素英绿叶。

香逐马蹄，形猜鸭唼。悦茂兹荣，金芝邻接。

《山海经》：天帝之山有草焉，状如葵，臭如蘼芜，名曰杜衡。杜甫诗：露裛思藤架，烟霏想桂丛。嵇康序：仰眺崇冈，俯察幽坂。刘圻父诗：素英绿叶纷可喜。《尔雅》疏：杜，土卤；形如马蹄，俗呼马蹄香。雷敩论：鸭蹼草根相似，味效不同。谢朓赋：览兹荣之茂悦，厕金芝于芳丛。《名医》曰：一名若芝。杜甫诗：邻接意如何。

沙　参

味苦，微寒。主血积，惊气，除寒热，补中，益肺气。久服利人[3]。一名知母。生川谷。

文希志取，美识参形。尖长排齿，紫白悬铃。

乳流渼液，肺沃神醒。孕金伏火，风扇泠泠。

《名医》曰：一名文希，一名志取，一名识美。陶弘景曰：与人参主疗颇同，故有参名。李时珍曰：叶尖长如枸杞叶，而小有细齿，开小紫花，状如铃铎，亦有白花者，根茎皆有白汁，

---

① 胸隔：《本草纲目》、尚志钧辑《神农本草经》作“胸胁”。

② 头痛：《本草纲目》、尚志钧辑《神农本草经》作“头肿痛”。

③ 久服利人：《本草纲目》注为《名医别录》文。

俗名羊婆奶。束皙赋：溚液濡泽。李咸用歌：风摇雨拂精神醒。牛宏歌：孕金成德。李颀诗：心穷伏火阳精丹。葛洪诗：洞阴泠泠风佩清。

白兔藿

味苦，平。主蛇虺①、蜂虿②、猘狗③，菜肉蛊毒注。一名白葛。生山谷。

捣药山端，思防凌触。衙聚潮蜂，溪盘雾蝮。

瘈狗攫腓，蛊蚕入腹。饮汁涂创，喜莫予毒。

《古歌》诗：采取神药山端，白兔捣虾蟆丸。《易》：君子以思患而预防之。《云笈七签》：遇物凌触。《埤雅》：蜂有两衙应潮。《淮南子》：螣蛇游雾而动。《左传》：国人逐瘈狗。《春秋后语》：徐之狗攫公孙子之腓。《吴志·传》：虫入其腹。李珣曰：煮汁饮，捣末傅诸毒。《阿含经》：涂创不贪其味。《左传》：而后喜可知也，曰莫予毒也已。

徐长卿

味辛，温。主鬼物百精，蛊毒，疫疾，邪恶气，温疟。久服强悍，轻身。一名鬼督邮。生山谷。

言名名物，以作尔庸。寄怀幽石，别访仙踪。

桑苗纤绕，柳叶翕茸。蠲疫驱疟，不若不逢。

《家语》：高辛生而自言其名。《周礼》：辨其名物。《诗》：以作尔庸。吴普曰：一名石下长卿。苏颂曰：一名别仙踪。韩

---

① 蛇虺（huǐ 悔）：毒蛇。《经典释文·尔雅音义》："虺，一名蝮，博三寸，首大如擘"。

② 虿（chài）：蝎一类的毒虫。《广雅·释虫》："虿，蝎也"。

③ 猘（zhì 治）狗：疯狗。猘也作狾。《说文》："狾，狂犬也"。

保昇曰：苗似小桑。苏恭曰：叶似柳，两叶相当。繁钦赋：微条纤绕。李商隐诗：垂柳碧鬅茸。李华赋：养命蠲疫。杨万里诗：不须杜句能驱虐。《左传》：川泽山林，不逢不若。

石龙刍

味苦，微寒。主心腹邪气，小便不利，淋闭，风湿，鬼注，恶毒。久服补虚羸，轻身，耳目聪明，延年。一名龙须，一名草续断，一名龙珠。生山谷。

刍束游龙，抽簪孰绾。直插凫茈，别分鼠莞。

织席增凉，剪须补满。九节多珠，洮彊恒产。

《诗》：生刍一束。曹植赋：宛若游龙。王勃诗：随兴欲抽簪。李时珍曰：俗名西王母簪。状如凫茈，苗直上。《尔雅》：鼠莞，龙刍之小者，功用相同。韩保昇曰：生茎如线，可为席。陆云诗：芳浒增凉。《唐书·传》：李绩疾，帝自剪须以和药。《名医》曰：补内不足、痞满，以九节多珠者良。《水经注》：自洮彊三百里中，地草遍是龙须。《孟子》：无恒产而有恒心者。

薇衔

味苦，平。主风湿痹，历节痛，惊痫，吐舌，悸气，贼风，鼠瘘，痈肿。一名糜衔。生川泽。

丛如芜蔚，瘥验鹿衔。有无风动，大小条芟。

心平惊悸，气导和諴。撮量三指，后饭无儳。

苏恭曰：此草丛生似芜蔚，一名鹿衔，鹿有疾衔此草即瘥，有大小二种。《水经注》：魏兴锡山多生此草，有风不偃，无风独摇。岐伯曰：病名酒风，麋衔五分，合以三指撮，为后饭。李时珍曰：后饭者，先服药也。《礼》：无儳言。

云实

味辛，温。主泄利，肠澼，杀虫蛊毒，去邪恶结气，止痛，除热。花主见鬼精物，多食令人狂走。久服轻身，通神明。生川谷。

绿荚黄花，实蕃平泽。黏刺空中，高丛累尺。

坚裹文斑，腥含粒白。祝哽镵根，声通嘶嗌。

李时珍曰：三月开黄花，荚长三寸许，有子五六粒，黄黑斑文，厚壳白仁，极坚有腥气，茎中空有刺。韩保昇曰：所在平泽有之。苏恭曰：丛生高五六尺。《后汉书·纪》：祝哽在前陈旅吟，镵根蔫鲜玉生汗。《方言》：嘶嗌，噎也。李时珍曰：根治骨哽及喉痛。

王不留行

味苦，平。主金创，止血，逐痛，出刺，除风痹内寒。久服轻身，耐老，增寿。生山谷。

行不俟驾，速甚邮传。荠根黄并，麦地青连。

花开金剪，子玩珠圆。贯通脉络，乳窦溅溅。

《论语》：不俟驾而行。《孟子》：速于置邮而传命。苏颂曰：根黄色如荠根。李时珍曰：多生麦地中，子生白熟黑，正圆如细珠。日华子曰：一名剪金花。朱子序：脉络贯通。温庭筠歌：乳窦溅溅通石脉。张元素曰：下乳引导用之，通血脉。

升　麻

味甘，辛。主解百毒，杀百老物殃鬼，辟温疾、障邪、毒蛊。久服不夭。一名周升麻。生山谷。

聚上曰升，奔魑走魅。深窪多须，纷垂素穗。

鸡骨拾坚，禽心藏智。新妇惭形，小星充备。

《易》：聚而上者谓之升。庾信赋：奔魑走魅。苏颂曰：根如蒿根，黑色多须，四、五月着花似粟，穗白色。陶弘景曰：

宁州者形细而黑，极坚；益州者青绿色，谓之鸡骨升麻。《博物志》：鸟误食中毒，急飞往牧靡山啄此草以解之。陈藏器曰：落新妇，今人呼为小升麻，功用同，大小有殊。《诗》：嘒彼小星。《汉书·传序〈宦者〉》：充备绮室。

青　蘘

味甘，寒。主五脏邪气，风寒湿痹，益气，补脑髓，坚筋骨。久服耳目聪明，不饥，不老。巨胜①苗也。生川谷。

秋畦播种，先撷丰苗。蔬菹涎滑，发沐云飘。

丫歧分尾，锐末垂髾。内守坚固，清梦逍遥。

李时珍曰：秋间取巨胜子，种畦中，如生菜之法，候苗出采，食滑美。本草所著者，茹蔬之功。叶有本团而末锐者，有本团而末三丫形者。陆游诗：湘湖莼长涎正滑。寇宗奭曰：以汤浸，良久涎出，妇人以之沐发。汪元量诗：凤钗堕锦乌云飘。《黄庭经》：内守坚固真之真。吴普曰：一名梦神。

姑　活

味甘，温。主大风邪气，湿痹寒痛。久服轻身，益寿耐老。一名冬葵子。

姑云徐徐，当生者活。湿燥寒温，风驱邪遏。

菜匪冬葵，烟祛野葛。鸡以精名，义难曲括。

《孟子》：谓之姑徐徐云耳。《说苑》扁鹊医赵太子，言：当生者活耳。陶弘景曰：冬葵非菜之冬葵。李时珍曰：野葛，折之青烟出者名固活。苏恭曰：一名鸡精。《罗湖野录》：形于尺素，尤为曲括。

① 巨胜：《抱朴子·仙药篇》：“《孝经援神契》曰：巨胜一名胡麻”。

别 羁

味苦，微温。主风寒湿痹，身重，四肢疼酸，寒邪历节痛。生川谷。

蓝田玉暖，小燠别枝。膒胎身重，酸痹愁羁。

融通百节，安畅全肢。青逵春日，凉吹秋期。

李商隐诗：蓝田日暖玉生烟。《晋书·志》：小燠不书。《名医》曰：一名别枝。《广韵》：膒胎，肿大也。膒，鲁猥切。胎，呼最切。《博雅》：酸，痛也。任昉行状：表里融通。苏轼诗：遇境即安畅。《名医》曰：二月八日采。刘臻妻颂：青逵升震。唐太宗诗：凉吹肃离宫。

屈 草

味苦[1]。主胸胁下痛，邪气，腹间寒热，阴痹。久服轻身，益气，耐老。生川泽。

屈轶尧庭，均荣一借。息卧愆时，阴阳沦谢。

濯濯虚鸣，油油就化。雪栈屏山，访宜午夏。

《帝王世纪》：黄帝时有草生庭，佞人入则指之，名曰屈轶。张友正赋：傥一借于吹嘘，愿均荣于动植。《黄帝素问》：背胸邪系阴阳左右，胸胁痛而不得息，不得卧。又：大肠病者，肠中切痛而鸣濯濯。元结歌：元化油油兮，谁知其然。陆游诗：雪栈屏山日月游。《名医》曰：生汉中，五月采。

淮 木

味苦，平。主久咳上气，肠中，虚羸，女子阴蚀，漏下，赤白沃。一名百岁城中木。生山谷。

---

① 味苦：《太平御览》《本草纲目》此下有“微寒”2字。

城中百岁，樟上长生。枝衔肌肉，理具纵横。

云封索异，赤柱标名。似朴似桂，药味传精。

李当之曰：是樟树上寄生，树大衔枝在肌肉。桐君曰：状如厚朴，色似桂白，其理一纵一横。《名医》曰：生太山。《史记·传》：天子封太山，有白云起封中。于邵序：搜奇索异。李时珍曰：一名赤柱。《后汉书》：标名为证。陆龟蒙诗：僧传药味精。

牡 桂

味辛，温。主上气咳逆，结气，喉痹，吐吸，利关节，补中益气。久服通神，轻身，不老。生山谷。

山启招摇，百药备使。丰肉结心，茸毛细齿。

枣实孰传，圭形差拟。辛螫中存，成林卓峙。

《山海经》：招摇之山多桂。《说文》：桂，百药之长。《左传》：寡君使盖备使。郭璞曰：一名肉桂，一名桂心。李时珍曰：叶坚硬有毛如锯齿。《拾遗记》：暗河紫桂，实大如枣。《桂海虞衡志》：凡木叶心皆一纵理，独桂有两文形如圭。《吕氏春秋》：桂枝之下无杂木，味辛故也。曹植文：殊略卓峙。

菌 桂

味辛，温。主百病，养精神，和颜色，为诸药先聘通使。久服轻身，不老，面生光华媚好，常如童子。生山谷。

聘通特达，品著南交。筒规圆竹，香杂申椒。

呼父称祖，易髦还髫。炊薪喻贵，书柿莫淆。

徐陵书：圭璋特达，通聘河阳。《名医》曰：生交趾，正圆如竹。苏恭曰：大小枝皮，俱是筒。《离骚》：杂申椒与菌桂兮。《水经注》：桂父，象人也，服桂得道。《搜神记》：彭祖七百岁，常食芝桂。周伯琦诗：击壤喧髦髫。《战国策》：楚国薪贵于桂。李时珍曰：叶如柿叶而尖。杨万里诗：满山柿叶正堪书。

松脂

味苦，温。主疽，恶创，头疡，白秃，疥搔，风气，安五脏，除热。久服轻身，不老延年。一名松膏，一名松肪。生山谷。

当暑凌寒，流英沥液。飞状龙形，沉凝虎魄。

香泛烟清，灯明光射。苓菊功同，和丸丽泽。

宋高宗赞：凌寒逾茂，当暑阴森。张衡赋：漱飞泉之沥液，咀石菌之流英。《抱朴子》：松树之三千岁者，聚脂状如龙形，名曰飞节芝。《博物志》：松脂沦入地中，千岁化为虎魄。苏轼诗：缥缈松香泛蜡烟。戴石屏诗：松明夜当灯。苏颂曰：道人服饵，或合茯苓、菊花为丸。《易》疏：两泽相连，润说之盛，故曰丽泽。

槐实

味苦，寒。主五内邪气热，止涎唾，补绝伤，五痔，火创，妇人乳瘕，子脏急痛。生平泽。

律移寒火，精散虚星。荚连珠缀，花袅金零。

孟冬举烛，上巳推蓂。参三取二，显证长龄。

《周礼》注：冬取槐檀之火。李峤诗：暮律移寒火。《春秋说题辞》：槐虚星之精。李时珍曰：其实作荚，如连珠。白居易诗：袅袅黄花枝。麻九畴诗：槐花满地黄金冷。《梁书·传〈庾肩吾〉》：食槐实，以十月上巳日采。《名医》曰：可作神烛。王泠然判对：既失推蓂之典。雷敩论：凡采实，只取三子及两子者。《庄子》：勿参以三。《左传》：子犯曰，臣取二。梁武帝诗：显证表长龄。

枸　杞

味苦，寒。主五内邪气，热中，消渴，周痹。久服坚筋骨，轻身，不老。一名杞根，一名地骨，一名枸忌，一名地辅。生平泽。

枸刺杞条，兼名会对。秋果垂红，春苗笼黛。

仙杖晨飞，灵厖夜吠。山北山南，诗人多慨。

李时珍曰：枸杞，二树名，此物棘如枸之刺，茎如杞之条，故兼名之。《尔雅》：妃合会对也。《诗》疏：苞杞其子，秋熟正赤。苏颂曰：春生苗叶。刘禹锡诗：翠黛叶生笼石甃，殷红子熟照铜瓶。《名医》曰：一名仙人杖。史子玉赋：仙杖飞空。苏轼诗：灵厖或夜吠。《诗》：南山有杞。又：陟彼北山，言采其杞。江淹诏：永言多慨。

柏　实

味甘，平。主惊悸，安五脏，益气，除湿痹。久服令人悦泽美色，耳目聪明，不饥，不老，轻身，延年。生山谷。

秉阴西指，托向东尊。球捎星缀，麦裂霜繁。

香霏闻妙，酿熟含温。赤松习服，后雕同论。

许赞歌：秉阴吸阳。《六书精蕴》：木皆属阳，而柏向阴指西。《名医》曰：生太山尤良。《旧唐书·志》：位当东向之尊。张祐诗：捎球紫袖轻。范成大诗：垂垂万星球。李时珍曰：其实成球，霜后四裂，中有数子，大如麦粒。萧祗诗：霜繁绿更滋。杜甫诗：心清闻妙香。苏轼诗：坐对柏子香。雷敩论：凡使柏子，先以酒浸，缓火煎成膏为度。杨侃赋：椒桂含温。《列仙传》：赤松子好食柏。《论语》：岁寒然后知松柏之后凋也。

茯　苓

味甘，平。主胸胁逆气。忧恚，惊邪恐悸，心下结痛，寒热，烦满，咳逆，口焦舌干，利小便。久服安魂养神，不饥，延年，一名茯菟。生山谷。

霰结九秋，根寻夜燎。云粉中坚，彤丝上绕。

磊砢蜷龟，毰毸蹲鸟。抱木和神，攸处不扰。

李益诗：下结九秋霰。《史记·传》：茯苓在菟丝之下，夜捎菟丝去之，篝烛记其处，明即掘取之。吴融诗：金鼎晓煎云漾粉。王微赞：彤丝上荟。张镃诗：龟蜷凫伏自磊砢。《广韵》：毰毸，张羽貌。苏轼赋：象鸟兽之蹲伏。《名医》曰：抱根者名茯神。杨炯赋：保性和神。《左传》：各有攸处，德用不扰。

榆　皮

味甘，平。主大小便不通，利水道，除邪气。久服轻身，不饥。其实尤良。一名零榆。生山谷。

梦占福禄，火易陈新。土宜五沃，雨濯三春。

屑能济馑，钱或疗贫。岁收千匹，术叩齐民。

《梦书》：榆火君，德至也；梦其叶滋茂，福禄存也。《春明退朝录》：《周礼》四时变火，唐惟清明取榆柳火以赐近臣戚里。《管子》：五沃之土，其榆条长。《汜胜之书》：三月榆荚雨。《农桑通诀》：昔丰沛岁饥，以榆皮作屑煮食之，民赖以济。李玉英诗：满地榆钱不疗贫。《齐民要术》种榆法：能种一顷，岁收千疋。

酸　枣

味酸，平。主心腹寒热，邪结气聚，四肢酸痛，湿痹。久服安五脏，轻身，延年。生川泽。

高者束音刺重平声，低者朿并。渴自含津，瞑方解醒。

醯乞分瓨音缸，梅调佐鼎。养小取材，场师奚哂。

李时珍曰：枣性高，故重朿；棘性低，故并朿。李杲曰：调荣卫，生津液。马融颂：含津吐荣。《群芳谱》：生用令人不眠。《淮南子》：醯酸不慕蚋。《史记·传》：醯酱千瓨。鲍照诗：食梅常苦酸。唐明皇诗：盐梅已佐鼎。《左传》：我落其实而取其材。《孟子》：养其樲棘，则为贱场师焉。

檗　木

味苦，寒。主五脏肠胃中结热，黄疸，肠痔，止泄利，女子漏下赤白，阴阳蚀创。一名檀桓。生山谷。

叶侔椿紫，色亚栀黄。生金丽水，负阴抱阳。

通中染卷，元吉垂裳。木芝著品，冬茂房商。

韩保昇曰：黄檗叶如紫椿。元稹诗：散乱栀黄萼。李时珍曰：知母佐黄檗，有金水相生之义。张元素曰：苦厚微辛，阴中之阳。《晋书·志》：万物负阴而抱阳。《易》：君子黄中通理。《窗间记闻》：写书纸以檗染之辟蠹，曰黄卷。《易》：黄裳元吉。李质赋：融至道以垂裳。陶弘景曰：道家入木芝品。掌禹锡曰：经冬不凋，出房商等州。

干　漆

味辛，温，无毒。主绝伤，补中，续筋骨，填髓脑，安五脏，五缓六急，风寒湿痹。生漆去长虫。久服轻身，耐老。生川谷。

数树婆娑，迎刃殊快。滴沥方稠，晶华增累。

性共胶坚，质妨蟹败。散授青黏，樊阿摄饵。

王维诗：婆娑数株树。《晋书·传》：迎刃而解。《水经注》：钟乳穴，滴沥不断。萧文山诗：天以晶华累尔形。《后汉书·传》：胶漆自谓坚。《淮南子》：蟹之败漆。《魏志·传》：樊阿从华佗求服食益人者，佗授以漆叶青黏散。《抱朴子》：青黏即葳蕤。许敬宗表：微如撮饵。

五加皮

味辛，温。主心腹疝气，腹痛，益气，疗躄，小儿不能行，疽创，阴蚀。一名豺漆。

数符天地，五叶交加。鹿篱疏密，豺节杈丫。

文章作酒，金玉满车。煮盐加豉，固寿无涯。

《易》：天数五，地数五。李时珍曰：五叶交加者良。苏颂曰：今江淮吴中，往往以为藩篱。陆游诗：疏疏鹿眼篱。《名医》曰：一名豺节。杜甫赋：突杈丫而皆折。《巴蜀异物志》名文章草，赞曰：文章作酒，能成其味。《煮石经》：孟绰子、董士固相与言曰：愿得五加一把，不用金玉满车。唐慎微曰：金盐五加也，玉豉地榆也，煮石而饵长生之药。耿湋诗：山固寿无涯。

蔓荆实

味苦，微寒。主筋骨间寒热，痹，拘挛，明目，坚齿，利九窍，去白虫。久服轻身，耐老。小荆实亦等。生山谷。

蔓引水滨，植分青赤。星散玉衡，云涵金宅。

穗吐花红，蒂披膜白。欣聚三株，还为和适。

苏恭曰：蔓荆生水滨。李时珍曰：青者为荆，赤者为楛。《春秋运斗枢》：玉衡星散为荆。江淹颂：金荆佳树，涵云宅仙。苏颂曰：花作穗，淡红色。雷敩论：凡使实，去蒂下白膜一重。《孝子传》：古有兄弟欲分异，见三荆同株，叹曰“木犹欣聚，况我而殊哉”，还为雍和。《吕氏春秋》：声出于和，和出于适。

辛　夷

味辛，温。主五脏身体寒风，头脑痛，面鼾。久服下气，轻身，明目，增年耐老。一名辛矧①，一名侯桃，一名房木。生川谷。

潜苞蓄锐，攒紫团红。夭桃敛实，健笔书空。

吐高灼日，送谢摇风。迎春玉蕊，功岂从同。

韩愈诗：潜苞绛实坼。李翰论：含光蓄锐。谢朓诗：发萼初攒紫。李贺诗：细绿及团红。《名医》曰：似东桃而小。潘尼赋：收华敛实。陈藏器曰：北人呼为木笔。方干诗：春物诱材归健笔。欧阳炯诗：势欲书空映早霞。韩琦诗：辛夷吐高花。徐铉诗：晴后日高偏照灼。韩愈书：迎繁送谢别有意。江淹赋：摇风忽起。《苕溪渔隐丛话》：木笔色紫，二月方开，迎春白色，立春已开，自是二种。《公羊传》：其余从同同。

桑上寄生

味苦，平。主腰痛，小儿背强，痈肿，安胎，充肌肤，坚发齿，长须眉。其实明目，轻身，通神。一名寄屑，一名寓木，一名宛童。生山谷。

瞻彼菀柔，夤缘苞系。共气分形，缘根附蒂。

柳紫稽疑，苕青殊裔。豆实香稠，苍梧酒剂。

《诗》：菀彼桑柔。《唐书·传赞》：萝茑夤缘。《易》：系于苞桑。梁元帝书：分形共气。梅尧臣赋：缘根兮附蒂。《群芳谱》：柳寄生亦紫藤。《书》：七稽疑。《诗》：苕之华，其叶青

---

①　矧：《太平御览》作“引”，《本草纲目》作“雉”。

青。《魏志·纪》：包举殊裔。苏颂曰：结子黄绿色，如小豆，汁稠者良。《浔梧杂佩》：桑寄生酒，出梧州。张正见诗：浮蚁擅苍梧。谓此。

杜仲

味辛，平。主腰脊痛，补中，益精气，坚筋骨，强志，除阴下痒湿，小便余沥。久服轻身，耐老。一名思仙。生山谷。

杜父仙去，嘉荫翘思。紫封巨植，白折轻丝。

足知为屦，牙效烹葵。形兼榆柘，酥蜜相宜。

李时珍曰：昔有杜仲，服此得道，因以名之。《晋书·传〈杜预〉》：众庶赖之，号曰杜父。苏轼诗：幽人得嘉荫。曹植诗：翘思慕远人。令狐楚诗：犹识紫泥封。苏轼诗：不书长林与巨植。《群芳谱》：皮色紫而润。陶弘景曰：折之多白丝者佳。《孟子》：不知足而为屦。苏颂曰：木可为履，益脚，初生嫩叶，可食，谓之櫋牙①，叶亦类柘。《诗》：七月烹葵及菽。《尔雅》：杜仲，曼榆也。雷敩论：凡使用酥蜜和涂。

女贞实

味苦，平。主补中，安五脏，养精神，除百疾。久服肥健，轻身，不老。生山谷。

贞固称名，冻青类族。德育阴精，质森刚木。

蜡放花凝，鸧来果熟。珠贯累累，牛李同馥。

《易》：贞固足以干事。又：其称名也，杂而不越。李时珍曰：冻青，女贞别种。《易》：君子以类族辨物。《典术》：女贞木者，少阴之精。《说文》：桢，刚木也。李时珍曰：近时以放

---

① 櫋牙：《本草纲目》作“木棉芽”。

蜡虫，呼为蜡树。《群芳谱》：凡采蜡树上如凝霜，谓之蜡花。李时珍曰：女贞实，鸜鹆喜食之，累累满树，黑似牛李子。

木　兰

味苦，寒。主身大热在皮肤中，去面热赤疱，酒皶，恶风癫疾，阴下痒湿，明耳目。一名林兰。生山谷。

利通舟楫，分剂刀圭。兰如同臭，莲不汙泥。

冰坚雪白，鹤唳猿啼。花身依旧，惭愧阇黎。

《述异记》：浔阳七里洲，有鲁班刻木兰舟。庾信诗：量药用刀圭。李时珍曰：其香如兰，其花如莲。《易》：同心之言，其臭如兰。周敦颐说：出汙泥而不染。成公绥赋：峨峨坚冰，霏霏白雪。李华赋：鹤既唳兮猿复啼。陆龟蒙诗：几度木兰舟上望，不知原是此花身。王播诗：惭愧阇黎饭后钟。

蕤　核

味甘，温。主心腹邪气，明目，目赤痛伤，泪出。久服轻身，益气，不饥，生山谷。

茎附蕤蕤，丛生刺劲。充耳垂珰，明眸引镜。

钻岂攻坚，怀非致敬。函谷巴西，云舒星映。

韩保昇曰：蕤子附茎生。李时珍曰：花实蕤蕤下垂，故谓之蕤。郭璞曰：丛生有刺，实如耳珰，紫赤可食。《诗》：充耳琇莹。于濆诗：天与双明眸。王融序：引镜皆明目。《晋书·传〈王戎〉》：家有好李，恒钻其核。《论语》：钻之弥坚。《礼》：其有核者怀其核。《左传》：勤礼莫如致敬。《名医》曰：生函谷及巴西。吴普曰：八月采。孔稚圭启：绿叶云舒，朱实星映。

橘　柚

味辛，温。主胸中瘕热逆气，利水谷。久服去臭，下气通神。一名橘皮。生山谷。

识小识大，相保岁寒。珠胎矞郁，镭斗霜攒。

贞心荣丽，仁崽甘酸。璇枢散采，云梦翘观。

《书传》：小曰橘，大曰柚。《论语》：贤者识其大者，不贤者识其小者。白居易诗：应能保岁寒。刘克庄诗：淡月珠胎明璀璨。李时珍曰：橘从矞，内赤外黄，香雾纷郁，有似乎矞云。《广州记》：镭柚实大如斗。方回诗：满颐霜雪攒。李绅诗：不随寒暑换贞心。虞羲诗：荣丽在中州。《群芳谱》：名仁崽者，柚类也。黄庭坚诗：如食橘柚知甘酸。《春秋运斗枢》：璇枢星散为橘。《吕氏春秋》：果之美者，有云梦之柚。

发　髲

味苦，温。主五癃，关格不通，利小便水道，疗小儿痫、大人痓，仍自还神化。

髓海精华，冠年仪表。理净千梳，割分一缭。

化俨伏鸡，神驱飞鸟。余髢①僮僮，堆云妆晓。

《素问注》：脑者髓之海，发者脑之华。雷敩论：发髲是男子年二十以来无疾患，于顶心剪下者。《淮南子》：行为仪表。苏轼诗：理发千梳净。《晋书·传》：割而分之。《唐书·传〈贵妃杨氏〉》：引刀断一缭发。《名医》曰：合鸡子黄煎之，消为水。《参同契》：伏鸡用其卵。陈藏器曰：生人发挂果树上，乌鸟不敢来食其实。《诗》：不屑髢也。《诗传》"被之僮僮"：编发为之。薛士隆赋：发堆云兮鬓蝉翼。温庭筠诗：懒逐妆成晓。

---

① 髢（dí 笛）：古同"鬄"，假发。

龙　骨

味甘，平。主心腹鬼注，精物，老魅，咳逆，泄利脓血，女子漏下，癥瘕坚结，小儿热气惊痫。齿主小儿、大人惊痫，癫疾狂走，心下结气，不能喘息，诸痉，杀精物。久服轻身，通神明，延年。生山谷。

形留旷泽，升忆景云。挺奇炼蜕，厉漱编龈。

骏同羖市，象类身焚。用潜施溥，枯朽灵芬。

《拾遗记》：南浔之国有洞穴，中有毛龙，时蜕骨于旷泽之中。《易》疏：龙吟则景云出。权德舆序：挺神奇，袪物怪，告练蜕之地。《晋书·传》：所以漱石，欲厉其齿。李祯诗：香龈皓齿疑贝编。黄庭坚诗：千金市骨今何有，士或不偿五羖皮。《左传》：象有齿以焚其身。《易》：潜龙勿用。又：德施溥也。《晋书·传》：荣加枯朽。冯衍赋：扬屈原之灵芬。

麝　香

味辛，温。主辟恶气，杀鬼精物，温疟，蛊毒，痫痓，去三虫。久服除邪，不梦寤厌寐。生山谷。

蕴结寒香，山农珍贵。迹逐松阴，胜餐柏味。

剔爪如遗，噬脐斯畏。远射氛氲，园林屏气。

《埤雅》：麝夏月食蛇多，至寒香满。李时珍曰：麝居山，獐居泽，以此为别。《周礼》：掌葛以时，征材于山农。郭登诗：物生遭遇即珍贵。黄列子：游猎九江，逐迹寻穴。韩翃诗：香麝松阴里。陶潜诗：餐胜如归。陶弘景曰：常食柏叶。苏颂曰：第一生香，自以爪剔出者，名遗香，其次脐香，乃捕取之。《诗》：弃予如遗。《左传》：后君噬脐。《诗》：无独斯畏。马祖常诗：月华远射离离白。唐阙名赋：笼流麝之氛氲。苏颂曰：

香聚处，草木不生；过园林，瓜果不实。《论语》：屏气似不息者。

牛 黄

味苦，平。主惊痫，寒热，热盛狂痓，除邪逐鬼。生平泽。

如狂怒吼，中美珍黄。通灵角折，感结心脏。

蝶飞占异，驼类知防。隐名丑宝，养晦韬光。

陶弘景曰：神牛出入鸣吼者有黄。郝经诗：叫吼怒如狂。《左传》子服惠伯曰：中美能黄。《扬子》：其德珍黄。刘基诗：文犀亦有通灵角。《易林》：蹇牛折角。王逸歌：忧怀感结重叹忆。《诗》：中心藏之。《酉阳杂俎》：有人得牛所吐黄，剖之，中有物，如蝶飞去。李时珍曰：驼黄相类，而功不及。牛属丑，故隐其名。《礼》：又敢与知防。《名医》曰：无令见日月光。《诗》：遵养时晦。孔融诗：美玉韬光。

熊 脂

味甘，微寒。主风痹不仁，筋急，五脏腹中积聚，寒热，羸瘦，头疡，白秃，面皯疱，久服强志。不饥，轻身。生山谷。

威示共侯，行知适馆。导气枝悬，蛰冬穴暖。

玉共酥凝，膏流霜满。燃照争明，短檠休伴。

《周礼》：大射诸侯则共熊侯。李时珍曰：熊行山中，虽数千里必有蜷伏之所，山中人谓之熊馆。《诗》：适子之馆兮。《汉书·传》注：古之仙者，为导引之事，若熊之攀枝自悬也。《酉阳杂俎》：冬蛰不食。陶弘景曰：熊脂乃背上肪，色白如玉。陆游词：雪暖酥凝。沈约诗：夙昔玉霜满。日华子曰：燃灯烟损人眼。程俱诗：何人劝之照，烛燎皆争明。陆游诗：且作短檠伴。

白胶

味甘，平。主伤中，劳绝，腰痛，羸瘦，补中益气，妇人血闭无子，止痛安胎。久服轻身，延年。一名鹿角胶。

斑龙解角，候届鸣蝉。粲磋劲质，活火新煎。

银膏莹细，琼液凝鲜。絪缊润化，却老留年。

《澹寮方》：鹿，一名斑龙。《礼》仲夏：鹿角解，蜩始鸣。谢偃赋：徒观其粲兮如磋。沈约诗：梢风有劲质。苏轼歌：君不见，昔时李生好客手自煎，贵从活火发新泉。郝经诗：斫开细雪银膏莹。李白诗：一餐咽琼液。鲍照诗：霜素凝鲜。《易》：天地絪缊。《春秋元命包》：开神润化。《洛阳伽蓝记》：孤松既可却老，半石亦可留年。

阿胶

味甘，平。主心腹内崩，劳极洒洒如疟状，腰腹痛，四肢酸疼，女子下血，安胎。久服轻身，益气。一名傅致胶。

上选珍皮，犀兕方驾。坤性归柔，坎功流下。

渗漉膏凝，消坚形化。鋻黑珀黄，经春历夏。

《名医》曰：出东阿县，煮牛皮作之。傅休奕赋：选珍皮之上翰。《左传》：牛则有皮，犀兕尚多。《汉书·传》：车骑不得方驾。《易》：坤为子母牛。《道德指归论》：归柔去刚，水动流下。《易》：坎为水。《水经注》：东阿有井，济水所注，水清而重，其性趋下。司马相如书：滋液渗漉。《尔雅》疏：膏凝曰脂。《汉书·传》：消坚甚于汤雪。《庄子》：其形化，其心与之然。李时珍曰：凡造胶十二月二三月为上，黄透如琥珀，黑如鋻玉者良，夏月亦不湿软。倪瓒诗：经春历夏又嗟秋。

丹雄鸡

味甘，微温。主女人崩中漏下，赤白沃，补虚，温中，止血，通神，杀毒，辟不祥。头主杀鬼，东门上者尤良。肪主耳聋。肠主遗溺。肶胵里黄皮主泄利。屎白主消渴，伤寒，寒热。

黑雌鸡主风寒湿痹，五缓六急，安胎。翮羽主下血闭。鸡子主除热火疮，痫痓，可作虎魄神物。鸡白蠹肥脂。生平泽。

巽权金畜，栖桀栖埘。雄鸣应节，雌伏知慈。

尾交孳化，翼长孚期。不闻拾芥，挟巧何奇。

《易》：巽以行权汉上。《易传》：巽位在巳，王于酉，故鸡又为金畜。《诗》：鸡栖于埘。又：鸡栖于桀。《九家易》：风应节而变，鸡时至而鸣。《淮南子》：慈雌呕暖覆伏。柳宗元碑：不自知其慈。《书传》：孳尾乳化曰孳，交接曰尾。《左传》子西曰：胜如卵，余翼而长之。《埤雅》：鸟之孚卵，皆如其期。陶弘景曰：用欲毈子，黄白混杂，煮作极似琥珀，惟不拾芥耳。司马光序：挟巧取奇。

雁　肪

味甘，平。主风挛，拘急，偏枯，气不通利。久服益气不饥，轻身，耐老。一名鹜肪。生池泽。

北乡南翔，知时识序。烹舍能鸣，缴加何取。

截玉雪凝，酿松泉煮。强健筋骸，蹑风高举。

《礼》季冬之月：雁北乡。魏文帝歌行：群燕辞归雁南翔。成公绥赋序：奇其应气而知时。《庄子》：命竖子杀雁而烹之，主人曰：杀不能鸣者。《史记·世家》：楚人有好以弱弓微缴加归雁之上者，顷襄王召而问之，对曰：见鸟六双，以王何取？魏文帝书：美玉白如截肪。李损之诗：凝阶似截肪。陆游诗：汲泉小瓮酿松肪。陈鉴赋：筋骸强健。陶潜诗：愿言蹑清风，高举寻吾契。

石　蜜

味甘，平。主心腹邪气，诸惊痫痓，安五脏诸不足，益气，补中，止痛解毒，除众病，和百药。久服强志，轻身，不饥，不老。一名石饴。生山谷。

倒悬家室，供课尊王。分喧潮应，申喙花忙。

甜珍一滴，暖割千房。谐和旨味，百药攒芳。

《魏书·传》管辂射覆，卦成曰家室倒悬，此蜂窠也。黄庭坚诗：稚蜂趋衙供蜜课。苏轼诗：中有王子蜂中尊。谢翱诗：分喧割蜜烟。《埤雅》：蜂有两衙应潮。柳宗元对：不足以申吾喙。李商隐诗：蜂亦为花忙。《冷斋夜话》仲殊曰：钱如蜜，一滴也甜。陆游诗：花残新蜜酿千房。《唐书·传》：门下充旨味者多矣。元稹诗：蜂连宿露攒芳久。

蜂　子

味甘，平。主头风，除蛊毒，补虚羸，伤中。久服令人光泽，好颜色，不老。大黄蜂子主心腹复①满痛，轻身，益气。土蜂子主痈肿。一名蜚零。生山谷。

类自殊形，尾皆垂颖。冯木虚悬，揵泥幽屏。

毒菌生光，从桑匿影。白蛹蚕莹，馈来荒憬。

欧阳修赋：异类殊形。《埤雅》：蜂毒在尾，垂颖如锋。曹植赋：上不冯木。陶弘景碑：七度虚悬。苏颂曰：大黄蜂子作房在大木间。《埤雅》：土蜂好揵泥作房。韩愈诗：即此是幽屏。《酉阳杂俎》：岭南毒菌，夜有光，经雨即腐，化为蜂。《水经

---

① 复：清·孙星衍等辑《神农本草经》、清·黄奭等辑《神农本草经》同。《经史证类大全本草》作“服”；清·周学海据孙星衍等辑《神农本草经》刊刻周氏医学丛书初集本作“张”。

注》：延水有桑林，为丛桑河。《云笈七签》：隐地八术，一曰藏形匿影。《诗》疏：蒲芦负桑虫以成其子。《岭表录异》：蜂儿拣状如蚕蛹莹白者，盐炒暴干，寄京洛以为方物。贺知章诗：荒憬尽怀忠。

蜜　蜡

味甘，微温。主下利脓血，补中，续绝伤，金创，益气，不饥，耐老。生山谷。

荒崖采采，蒙纩缠腰。支饥淡泊，嚼味寂寥。

技羞栀貌，奢戒薪烧。何来灵雀，蜜塞相招。

顾况序：采蜡，怨奢也，荒岩之间，纩蒙其身，腰藤造险。又《诗》：采采者蜡。《博物志》：食蜡半斤，支十日饥。高骈诗：淡泊供需不在求。《楞严经》：味如嚼蜡。李商隐诗：红壁寂寥崖蜜尽。柳宗元文：栀其貌，蜡其言，以求贾技于朝。《晋书·传〈石崇〉》：奢靡相尚，以蜡代薪。《博物志》：南方诸山，余蜡在石，有鸟群来啄之殆尽，名曰灵雀，人谓之蜜塞。

牡　蛎

味咸，平。主伤寒、寒热，温疟洒洒，惊恚怒气，除拘缓，鼠瘘，女子带下赤白。久服强骨节，杀邪气，延年。一名蛎蛤。生池泽。

荣粹不知，止渴惟厉。窈窕房分，嵯峨山势。

纤指纷柔，圆蹄悬缀。鲲化何殊，神雕百岁。

《南史·传》：车螯蚶蛎，不悴不荣。张元素曰：蛤蛎之厉，能止渴也。张衡赋：望窈窕以径廷。《说文》：嵯峨，山高貌。苏颂曰：海旁附石而生，磈礌相连如房，呼为蛎房。初生止如拳石，渐长崭岩如山，俗名蚝山。每房有肉，大者如马蹄，小者如人指面。潘岳赋：冉弱纷柔。《泛舟录》：鹅管悬缀。《庄子》：北冥有鱼，其名曰鲲，化而为鸟，其名曰鹏。陶弘景曰：云是百岁雕所化。

龟 甲

味咸，平。主漏下赤白，破癥瘕，痎疟，五痔，阴蚀，湿痹，四肢重弱，小儿囟不合。久服轻身，不饥。一名神屋。生池泽。

列前重宝，藏六怀灵。守蓍云覆，致墨炎荧。

质兼金玉，神炳丹青。图形捍难，借气益龄。

《礼》：龟为前列。《史记·传》：留神龟以为重宝。《杂阿含经》：如龟藏六。《宋书·传〈谢灵运〉》：禀气怀灵。《史记·传》：蓍满百茎，神龟守之，青云覆之。《周礼》：扬火以作，龟致其墨。《说苑》：荧荧不绝，炎炎奈何。又：灵龟文五色，似玉似金。《孝经援神契》：效象洛龟，擢书丹青。《周礼》疏：龟蛇为旐，龟有甲能捍难。吴球曰：龟版补阴，借其气也。唐明皇诗：益龄仙井合。

桑螵蛸

味咸，平。主伤中，疝瘕阴痿，益精，生子，女子血闭，腰痛，五淋，利小便水道。一名蚀疣。生桑枝上，采蒸之。

巨伟维桑，蛰虫依固。细蝬中藏，乳蛆外附。

绡状轻飘，房看分注。蚕稠梅黄，骧首齐骛。

傅咸赋：以厥树之巨伟。《诗》：维桑与梓。《礼》：蛰虫始振。《汉书·传》：易可依固。《诗》疏：螟蛉，俗谓之桑蝬，色青而细小。李时珍曰：螳螂骧首奋臂，深秋乳子如蛆，黏着树枝，其状轻飘如绡，重重有隔房。《后汉书·传》：羽翼外附。

庾信铭：八溪分注。《礼》：仲夏之月螳螂生。李白诗：五月梅始黄，蚕稠桑柘空。温庭筠诗：班马方齐骛。

海　蛤

味苦，平。主咳逆上气，喘息烦满，胸痛，寒热。一名魁蛤。

秋深爵化，海错丛残。盈窥月满，贮拾潮寒。

饰妆成帐，护汁堆盘。灵称白水，王母中餐。

《礼》季秋之月：爵入大水为蛤。孔平仲诗：鲜蛤实海错。《新论》：丛残小语。《吕氏春秋》：月望，则蚌蛤实，群阴盈。梅尧臣诗：拾贮寒潮退。《飞燕外传》：以蛤妆五成金霞帐。苏轼诗：我哀蓝中蛤，闭口护残汁。欧阳修诗：累累盘中蛤。《汉武内传》西王母曰：次药有白灵蛤。释卿云诗：挑荠备中餐。

文　蛤

主恶疮蚀，五痔。

种别沙田，潮汐增晕。虹采开明，锦囊充牣。

风爱来薰，雷惊骤震。节物新时，吴乡馈赆。

周必大诗：东海沙田种蛤珧。《西溪丛语》：文蛤一潮生一晕。曹植诗：蚌蛤被滨涯，光采如锦虹。李涉诗：元蚌初开影暂明。卢纶诗：彩蛤攒锦囊。《山栖志》：充牣崖巘。戴表元诗：莎坂南风寅蛤来。《史记·纪》：南风之薰兮。《南越志》：凡蛤开口，闻雷不复闭口。孔武仲诗：新时节物故依然。《梦溪笔谈》：文蛤即吴人所食花蛤。《孟子》：辞曰馈赆。

蠡　鱼

味甘，寒。主湿痹，面目浮肿，下大水。一名鲖鱼。生池泽。《初学记》引作鳢。

箓称水厌，礼斗灵嘉。疏经误鲩，具性通蛇。

七星首戴，双砺形差。附生鳗子，聚沫吹沙。

李时珍曰：道家指为水厌，齐箓所忌，夜朝北斗，有自然之礼，故谓之鳢。宋送神歌：灵有嘉兮。《尔雅》疏：鳢鲩并列训鳢，一名鲩，非。陶弘景曰：言是公蛎蛇所化，犹通蛇性。《尔雅翼》：首有七点作北斗之状。《水经注》：林邑范文为奴时，于涧水得两鳢，挟归，托云蛎石，郎至鱼前，见是两石。《埤雅》：鳗子附鳢而生。李夷亮赋：聚沫纡徐。《尔雅》疏：鲨鮀鱼狭而小，张口吹沙。

鲤鱼胆

味苦，寒。主目热赤痛，青盲，明目。久服强悍，益志气。生池泽。

三十六鳞，披胆加志。弗共冰栖，非调饴味。

熊可和丸，獭亦分器。苦口功同，悬珠目治。

苏颂曰：胁鳞一道无大小，皆三十六鳞。《汉书·传〈路温舒〉》：披大胆。《新书》：僶俛而加志。《晋书·纪〈武帝〉》：衔胆栖冰。李珣歌：尝胆不苦味若饴。《唐书·传柳仲郢》：母和熊胆丸使夜咀咽。《说文》：獭胆分卮。《史记·世家》：毒药苦口利于病。《汉书·传〈东方朔〉》：目若悬珠。《穀梁传》：六鹢先数聚辞也，目治也。李时珍曰：熊胆明目去翳。苏颂曰：獭胆主治目翳，视物不明。

藕实茎

味甘，平。主补中养神，益气力，除百疾。久服轻身，耐老，不饥，延年。一名水芝丹。生池泽。

冰丝玉节，蛰卧川阿。红裳独立，翠扇交摩。

中藏鱼目，仰露蜂窠。水羞相辈，痊起沉疴。

于慎行诗：冰丝欲断鲛人缕。陶弼诗：谁将玉节栽。冯璧诗：蛰卧时奋迅。王勃赋：暂毕赏于川阿。李纲赋：红裳影斜。韩偓诗：香囊独立红。许浑诗：烟开翠扇清风晓。《京房易传》：相摩而鸣。高启联句：鱼目微光皎。张楫诗：飞尽黄蜂露蜜房。刘孝威启：凡厥水羞，莫敢相辈。谢薖诗：已觉沉疴痊。

大 枣

味甘，平。主心腹邪气，安中，养脾，助十二经，平胃气，通九窍，补少气少津液，身中不足，大惊，四肢重，和百药。久服轻身长年。叶覆麻黄，能令出汗。生平泽。

早遂修虔，剥乘豳侯。百益陈功，千回急就。

染齿黄蒸，投心红皱。万岁嘉名，参肴觞寿。

《魏书·传》：枣者，早遂朕意。《左传》：女贽，不过榛栗枣修，以告虔也。《诗》：八月剥枣。《清异录》：百益一损者枣。杜甫诗：一日上树能千回。《史记·传》：今急而不急就。嵇康论：齿居晋而黄，谓枣故也。《魏书·传》注：黄侔蒸栗。《南史·传》：投臣以赤心。孟郊联句：红皱晒檐瓦。《宋书·传》：三佛齐贡万岁枣。王安石诗：广庭觞圣寿，以此参肴蔌。

蒲 萄

味甘，平。主筋骨湿痹，益气倍力，强志，令人肥健，耐饥，忍风寒。久食轻身，不老，延年。可作酒。生山谷。

托根福地，引竹交穿。青纷绶结，紫莹珠悬。

云浆清滑，玉盏凉鲜。荔支同嚼，风月无边。

宋祁赋：托崤函之福地。韩愈诗：莫辞添竹引龙须。刘禹锡歌：繁葩组绶结。唐彦谦诗：珠帐高悬夜不收。刘禹锡诗：味敌五云浆。洪希文诗：醍醐纵美输清滑。顾阿瑛诗：葡萄玉盏酌西凉。李梦阳诗：酒酣试取冰丸嚼，不说天南有荔支。张镃词：风月无边是醉乡。

蓬　蘽

味酸，平。主安五脏，益精气，长阴令坚，强志，倍力，有子。久服轻身，不老。一名覆盆。生平泽。

旧干新丛，同功分纪。刺类钩悬，蔓牵角犄。

逐节葵青，成簇椹紫。蚕老蛇残，莓非伦拟。

庾肩吾诗：新丛入望苑，旧干冠层城。李时珍曰：蓬蘽、覆盆，一类二种，分早熟晚熟，功用相近，藤蔓繁衍，茎有倒刺，逐节生叶，如小葵叶，面青背白，结实成簇，熟则紫黯如椹。又：悬钩，树茎有倒刺，实亦相类，孟诜以为即覆盆，误。袁桷诗：势如鹿角犄。吴瑞曰：地莓蚕老时红熟，一名蛇残。韩保昇曰：子赤俨若覆盆。《唐书·传〈刘洎〉》：势不伦拟。

鸡头实

味甘，平。主湿痹，腰脊膝痛，补中，除暴疾，益精气，强志，令耳目聪明。久服轻身，不饥，耐老神仙。一名雁啄实。生池泽。

橐韬川植，论斗剥肤。猬毛青涌，鸡啄红敷。

盘轮绉縠，囊截明珠。上池华液，挹注嗫嚅。

《周礼》疏：川泽植物宜膏物，莲芡之实有橐韬者。黄庭坚诗：明珠论斗煮鸡头。《易》：剥床以肤。王岩叟诗：琉璃涌出青毛猬。李时珍曰：芡生紫花，在苞顶，如鸡啄，叶贴水，皱文如縠。宋文同诗：芡盘圆圆如碧轮。姜特立诗：明珠截锦囊。《东坡杂记》：吴子野云：食芡必枚啮而细嚼，终日嗫嚅，足以致上池之水，使人华液通流，转相挹注。

胡　麻

味甘，平。主伤中，虚羸，补五内，益气力，长肌肉，填髓脑。久服轻身，不老。一名巨胜。叶名青蘘。生川泽。

种督儿曹，蓄先嘉耦。八拗生殊，四宜具有。

烛持溪头，杯流洞口。绿叶华滋，沐宜螓首。

梅尧臣诗：胡麻养气血，种以督儿曹。唐慎微曰：俗传胡麻须夫妇同种则茂盛。《左传》：嘉耦曰妃。《鸡肋编》：胡麻性有八拗，雨暘时薄收，大旱方熟；开花向下，结子向上；炒焦压榨，才得生油；膏车则滑，钻针乃涩。戴表元赋：芘本近仁，响明近智，蹈约而不移近信，在困而能恭近义，以为君子之道四宜乎。《拾遗记》：背明之国，有通明麻食者，夜行不持烛，是巨胜也。曹唐诗：吃尽溪头巨胜花。《神仙记》：刘晨、阮肇入天台采药，见一杯流下，有胡麻饭。陆龟蒙诗：不敢窥洞口。古诗：绿叶发华滋。寇宗奭曰：青蘘叶汤浸，妇人以之梳发。《诗》：螓首蛾眉。

麻　蕡

味辛，平。主五劳七伤，利五脏，下血寒气，多食令人见鬼狂走。久服通神明，轻身。一名麻勃。麻子味甘、平，主补中益气，肥健，不老神仙。生川谷。

穗垂勃勃，虑事前知。候春早晚，辨值雄雌。

麷陈朝事，犬荐秋时。和丸向日，幽烛魑魅。

《名医》曰：麻勃花上勃勃者。陶弘景曰：术家合服，逆知未来事。陈藏器曰：早春种曰春麻子，晚春种为秋麻子。李时珍曰：麻子有雄雌，雄者为枲，雌者为苴。《周礼》注“朝事之笾，其实麷蕡”：熬麦曰麷，麻曰蕡。《礼》孟秋之月：食麻与犬。孟诜曰：生麻子杵丸，向日服，满百日，即能见鬼。《云笈七签》：紫晨幽烛明。刘基诗：翔魑魅。

冬葵子

味甘，寒。主五脏六腑寒热，羸瘦，五癃，利小便。久服坚骨，长肌肉，轻身，延年。

解露抽心，倾阳卫足。莩秀浮香，英轻染绿。

柏子修容，椒聊辟毒。朝种暮生，火燋地熟。

李时珍曰：古人采葵，必待露解，故曰露葵。孟诜曰：其心有毒，忌食。孔平仲诗：烧地草抽心。曹植表：若葵藿之倾叶太阳。《左传》：葵犹能卫其足。鲍照赋：柔莩爰秀。杜甫诗：香宜配碧葵。李时珍曰：子轻虚如榆荚仁。梁元帝诗：露沾疑染绿。陶隐居方：冬葵子、柏子仁等分，治面上疱疮。武王《带铭》：火灭修容。《千金方》：冬葵子煮汁，辟蜀椒毒。《博物志》：葵子火炒令爆咤，撒熟地，朝种暮生。

苋　实

味甘，寒。主青盲，明目，除邪，利大小便，去寒热。久服益气力，不饥，轻身。一名马苋。

标高易见，指事深论。种需雨候，老怯风掀。

丹还跛鳖，格压膏豘。苻呼哂误，韭化机存。

王十朋诗：标高语更妙。《埤雅》：苋之茎叶高大易见，其字从苋，指事也。陆游诗：农事更深论洛阳。《花木记》：谷雨栽五色苋。王安石诗：紫苋凌风怯。《贵耳集》：红苋为跛鳖之还丹。方岳诗：琉璃蒸乳压豘膏，未抵斋厨格调高。《颜氏家训》：《诗》“参差荇菜”，博士皆以参差者苋菜也，呼人苋为人荇，可笑之甚。《淮南子》：老韭之为苋也，万物皆出于机，皆入于机。

瓜　蒂

味苦，寒。主大水，身面四肢浮肿，下水，杀蛊毒，咳逆上气，食诸果病在胸腹中，皆吐下之。生平泽。

美实蠲烦，秋除抱蒂。花谢跗环，瓞绵蔓系。

齿沁余香，鼻披双缀。青绿垂檐，东来风脆。

刘子翚诗：美实蠲烦喜及时。杜甫诗：许以秋蒂除，仍看小童抱。《农书》：大曰瓜，小曰瓞，跗曰环，注：脱花处。蒂曰疐。注：系蔓处。李东阳诗：冰齿余香嚼未残。《龙鱼河图》：瓜有两蒂、两鼻者，杀人。雷敩论：凡使瓜蒂取青绿色，瓜气足时采得，系屋东有风处吹之。

瓜　子

味甘，平。主令人悦泽，好颜色，益气，不饥。久服轻身，耐老。一名水芝。生平泽。

长身皤腹，瓤瓣名齐。絮披虚练，囊贮排犀。

花红醲面，酒苦明睇。瓜雌蒂曲，撷种高栖。

郑安晓诗：霜皮露叶护长身。《左传》：皤其腹。《广雅》：冬瓜菰也，其子谓之瓤。吴普曰：瓜子一名瓣。李时珍曰：瓤谓之瓜练，白虚如絮，子谓之瓜犀，在瓤中成列，多能鄙事。白瓜仁加桃花服食，面红清。苦酒渍曝，日服方寸匕，明目。《齐民要术》：冬瓜蒂弯曲贴肉者，雌瓜也，取子收高燥处留作种。

苦　菜

味苦，寒。主五脏邪气，厌谷，胃痹。久服安心，益气，聪察，少卧，轻身，耐老。一名荼草，一名选。生山谷。

菜美天香，游冬景迈。黄讹龙葵，白猜马薤。

和米炊香，浮羹嚼快。如荠如饴，苦甘深喟。

李时珍曰：一名天香菜。《埤雅》：此草经冬不凋，故名游冬。傅休弈歌：岁晏景迈。《颜氏家训》：江南别有苦菜，乃《尔雅》蘵黄蒢也，河北谓之龙葵，梁世讲《礼》者，以此当之，大误。《兼明书·月令》：孟夏苦菜秀。孔颖达云：菜似马薤而花白，味极苦。今验四月秀者，野人呼为苦蒦，春初取煮和米粉作饼食之。《月令》所书苦菜，即苦蒦也。颖达所见，别是一物，不可引以解此。黄正色诗：嫩绿浮羹莼让滑。王恽诗：今朝过喜一嚼快。《诗》：谁谓荼苦，其甘如荠。又：堇荼如饴。李祁诗：幽然发深喟。

卷二　中经

中药为臣，主养性以应人，无毒有毒，斟酌其宜，欲遏病补虚羸者，本中经。

雄　黄

味苦平，寒。主寒热，鼠瘘，恶创，疽痔，死肌，杀精物恶鬼邪气，百虫毒[①]，胜五兵。炼食之，轻身神仙。一名黄金石。生山谷。

丹雄蕴石，精结阳峦。五兵制胜，百毒除残。

威申虎爪，色映鸡冠。桃枝辟禳，怪祟奚干。

吴普曰：生山之阳，是丹之雄。《唐书·传〈苏颋〉》：居中制胜。《吴志·传〈周瑜〉》：除残去秽。葛洪曰：女人病邪，雄黄、松脂熔化，以虎爪搅之，夜烧取愈。苏恭曰：岩昌武都者佳，块方数寸，明彻如鸡冠。《集简方》：家有邪气者，雄黄水以东南桃枝咒洒满屋则绝迹。《易林》：家多怪祟。

石流黄

味酸，温。主妇人阴蚀，疽痔，恶血，坚筋骨，除头秃。能化金银铜铁奇物。生山谷。

尊比阳侯，矾精翕敛。焦土凝坚，温泉泻潋。

猛著黄芽，光腾紫焰。金液丹成，因时稽检。

葛洪曰：四黄惟阳侯为尊。吴普曰：是矾水石液烧令有紫焰者。《易》注：静翕翕敛也。《魏书·传》：悦般国南界有火山，

---

① 毒：《新修本草》作“毒肿”。

山旁皆焦，溶流数十里乃凝坚，即石流黄也。《博物志》：凡水有石流黄，其泉则温。赵冬曦赋：凿连岩而泻潋。李时珍曰：其猛毒，为七十二石之将，外家谓之阳侯，亦曰黄芽。《泊宅篇》：金液丹，乃流黄炼成，纯阳之物，痼冷者所宜，今夏至人多服之，反为大患。《元史·传〈曹鉴〉》：稽检有方。

雌　黄

味辛，平。主恶疮头秃，痂疥，杀毒虫虱，身痒，邪气，诸毒。炼之，久服轻身，增年不老。生山谷。

同山雌伏，武都之阴。变分连锡，熏借精金。

助功妇顺，避地群侵。纯黄不杂，土德层深。

《名医》曰：生武都与雄黄同山生，其阴山有金，金精熏则生雌黄。《后汉书·传》赵温曰：焉能雌伏。《丹房鉴源》：雌黄变锡。《史记·传》：长沙出连锡。陶弘景曰：仙经无单服法，惟以合丹沙雄黄，飞炼成丹。《土宿指南》：阳石，相距五百年而结，造化有夫妇之道，故曰雌雄。雷敩论：凡修事勿令妇人鸡犬及臭秽之地犯之。钟会赋：纯黄不杂。韩保昇曰：雌黄法土，故色黄。《水经注》：山岫层深。

水　银

味辛，寒。主疥瘘痂疡，白秃，杀皮肤中虱，堕胎，除热，杀金银铜锡毒，熔化还复为丹。久服神仙不死。生平土。

烁质洪炉，汞流烟尽。伏恋铅凝，含收椒引。

采苋东晞，披沙内蕴。姹女丹还，性全韬隐。

《列仙传》：宁封子烁质洪炉。苏颂曰：采粗次朱砂，作炉煅养，承水覆盆，烟飞于上，汞流于下。《土宿指南》：朱砂伏于铅，硫恋于铅。寇宗奭曰：得铅则凝。《国语》：土气含收。

《丹药秘诀》：遗失在地，以川椒末引之。韩保昇曰：马齿苋节叶间有水银，然至难燥，向日东晒之。陶弘景曰：水银有别出沙地者。李峤诗：向日披沙尽。权德舆文：和易内蕴。杜甫诗：姹女萦新裹。注：汞也。白居易诗：黄芽姹女大还丹。宋新论：能韬隐其质，故致全性也。《抱朴子》：丹砂烧之成水银，积变又还成丹砂。

石　膏

味辛，微寒。主中风寒热，心下逆气，惊喘，口干苦焦，不能息，腹中坚痛，除邪鬼，产乳，金创。生山谷。

敛尘雨霁，棋布林皋。云溶孕采，玉洁浮醪。

润当吻燥，结解肤挠。调封丹鼎，固密坚牢。

解琬诗：雨霁微尘敛。陶弘景曰：石膏皆在地中，雨后时时自出，如棋子者最佳。《庄子》：山林欤，皋壤欤。程伯子诗：乞与云膏洗俗肠。郑惟忠赋：丹青孕采。常建诗：玉膏泽人骨。张华诗：浮醪随觞转。苏轼赋：疑吻燥而当膏。《孟子》：不肤挠。《名医》曰：治皮肤热，肠胃中结。胡震亨曰：火煅细研醋调，封丹鼎，固密胜于脂膏。苏轼诗：也知不作坚牢玉。

慈　石

味辛，寒。主周痹风湿，肢节中痛，不可持物，洗洗酸消，除大热烦满，及耳聋。一名元石。生山谷。

铁质坚顽，磁君引并。山辨阴阳，石分动静。

炼畏伏砂，归催悬井。受制庚辛，南针指丙。

《淮南子》：慈石能引铁。吴普曰：一名磁君。李时珍曰：慈石生山之阴，元石生山之阳，形虽相似，性各不同，慈石能吸铁，元石不能吸铁。《余冬叙录》：丹砂伏慈石，水克火也。

《淮南子》：慈石悬井，亡人自归。寇宗奭曰：慈石磨铁锋，能指南，然常偏丙位，盖丙为大火，庚辛受其制，物类相感耳。

凝水石

味辛，寒。主身热，腹中积聚邪气，皮中如火烧，烦满，水饮之。久服不饥。一名白水石。生山谷。

凝寒冰沍，积卤石生。色兼青黑，理具纵横。

蜂窠孔细，马齿棱莹。沟渠六角，同类元精。

《名医》曰：一名寒水石，盐之精也。李时珍曰：夏月研末煮汤，入瓶，悬井底即成冰。陶弘景曰：卤地所生。苏恭曰：有纵理、横理二种。苏颂曰：有孔窍，若蜂窠。《丹房鉴源》：石块有齿棱，如马牙消，清莹如水精，亦有青黑色者。《梦溪笔谈》：太阴元精，石生盐泽之卤、沟渠土内，禀积阴之气，凝结皆六角。

阳起石

味咸，微温。主崩中漏下，破子脏中血，癥瘕，结气，寒热，腹痛，无子，阴痿不起，补不足，拘[①]挛。一名白石。生山谷。

气结熇蒸，山恒阳霁。根驻云丛，锋销雪瘗。

凿选狼牙，毒袪蛇蜕。握白提清，芟除黑翳。

杨雄文：涍滃云而散熇蒸。注：气上出也。潘岳赋：阳霁则吐霞耀日。苏颂曰：齐州阳起山，常有温暖气，盛冬大雪，此山独无。陶弘景曰：甚似云母，但厚异耳。李峤诗：山类丛云起。《庚辛玉册》：尖似箭镞者力强，置大雪中，倏然没者为

① 拘：原作“句”，据文义改。

真。李时珍曰：轻松如狼牙者佳。李之才曰：使用恶蛇蜕皮。《抱朴子》：怀黄握白，提清挈肥。日华子曰：凡入药凝白者佳。苏恭曰：今用纯黑如炭者，误矣。

孔公孽

味辛，温。主伤食不化，邪结气，恶创，疽瘘痔，利九窍，下乳汁。一名通石。生山谷。

石垂芽孽，亡是呼公。角森濈濈，房妙空空。

寐回蘧觉，音审宣通。如调灵籥，呼吸中充。

李时珍曰：孔窍空通，附垂于石，如木之芽孽，俗讹为孔公。《汉书·传》：齐言亡是公者，无是人也。《宋书·传》：公何见呼为公。陶弘景曰：孽大如牛羊角，长二三尺。《诗》：其角濈濈。李时珍曰：孽为钟乳之房。《论语》：空空如也。《庄子》：成然寐，蘧公觉。《名医》曰：治伤食病，常欲眠睡。甄权曰：能使喉声圆亮。江总碑：老惊灵籥。苏轼诗：外慕渐少由中充。

殷　孽

味辛，温。主烂伤，瘀血，泄利，寒热，鼠瘘，癥瘕，结气。一名姜石。生山谷。

仰漱飞根，潜萌隐孽。指列姜蟠，脉通乳结。

床设桷宊，花霏霜雪。崖土脂凝，清凉散热。

《名医》曰：殷孽，钟乳根也。《云笈七签》：仰餐飞根。李时珍曰：殷隐也，生于石上，隐然如木之孽，又如生姜，新芽顿长，若列指状。苏恭曰：根蟠结如姜。《吕氏春秋》：血脉欲其流通也。韩愈文：大者为宊，细者为桷。苏恭曰：石床，钟乳水滴下，凝积如笋状，久渐与上乳相接为柱；石花，乳水滴石上，散如霜雪，皆与殷蘖同功。土殷蘖服之亦同钟乳，而不发热。《名医》曰：生高山崖土之阴，色白如脂。唐明皇序：尝散热之馔。

铁　精

平。主明目，化铜。铁落味辛，平，主风热恶创，疡疽创痂，疥气在皮肤中。铁主坚肌，耐痛。生平泽。

禀阳就燥，气弗交阴。紫尘吹焰，乌液留砧。

柔能绕指，坚自安心。山盈渥赭，索广窥深。

《土宿指南》：铁禀太阳之气，而阴气不交，故燥而不洁。《易》：火就燥。陶弘景曰：铁精出煅灶中，如尘紫色轻者为佳。苏恭曰：铁落是锻家烧铁砧上，锻之皮甲落者，滋液黑于余铁，又名铁液。刘琨诗：何意百炼刚，化为绕指柔。日华子曰：生铁镇心，安五脏。《管子》：其上有赭，其下有铁。《诗》：赫如渥赭。《文心雕龙》：才欲窥深，辞务索广。

理　石

味辛，寒。主身热，利胃，解烦，益精，明目，破积聚，去三虫。一名立制石。生山谷。

横理庚庚，移名立制。脉贯峡封，层分土渍。

青缕丝明，赤肤肌腻。迭用柔刚，同归一致。

《史记·纪》：大横庚庚。《逸周书》：以移其名。苏恭曰：此石夹两石间如石脉，开用之，或在土中重叠而生，皮正赤肉白。《名医》曰：一名肌石。李时珍曰：石膏有软硬二种，理石顺理而微硬者，长文细直，如丝而明洁，色带微青，与软石膏一类，通用。

长　石

味辛，寒。主身热，四肢寒厥，利小便，通血脉，明目，去翳眇，下三虫，杀蛊毒。久服不饥。一名方石。生山谷。

嵬然卓立，岂恃依凭。纵如排齿，解或方棱。

云飞片片，玉琢层层。热中顿解，渊静清凝。

《淮南子》：嵬然不动。《论语》：如有所立卓尔。《唐书·传》：足可依凭。苏恭曰：不附石而生，端然独处，状同石膏而厚大，纵理而长，文似马齿。苏颂曰：方解石与长石为一物。李时珍曰：击之则片片横碎，光莹如云母。《名医》曰：光而润泽玉色。《孟子》：不得于君则热中。《云笈七签》：本真清凝，嶷然渊静。

肤 青

味辛，平。主蛊毒及蛇，菜肉诸毒，恶创。生山谷。

蓝谢何常，青推肤受。烧入春痕，光留雨后。

虫豸腥污，疡痍毒垢。群秽清除，有瘳无咎。

《北史·传》：青成蓝，蓝谢青，师何常，在明经。《名医》曰：一名推青。《论语》：肤受之愬，不行焉。僧惠崇诗：春入烧痕青。唐球诗：巫山雨后青。《魏志·传〈司马朗〉》：清除群秽。《唐书·传》：天下庶有瘳乎。

干 姜

味辛，温。主胸满，咳逆上气，温中，止血，出汗，逐风湿痹，肠澼下利。生者尤良，久服去臭气，通神明。生川谷。

膻腥拂彻，味美和调。柔尖日莹，老辣霜骄。

含辛比桂，御湿分椒。赠甘非意，雪谤神超。

张衡赋：苏蔱紫姜，拂彻膻腥。《吕氏春秋》：和之美者，杨朴之姜。刘子翚诗：映日莹如空，柔尖带浅红。《长编》晏享曰：姜桂之性，到老愈辣。徐淮诗：秋气挟霜骄。《文心雕龙》：

桂姜同地，辛在本性。《孝经援神契》：椒姜御湿。梅尧臣诗：赠辛非赠甘，此意当自求。朱子诗：姜云能损心，此谤谁能雪。请论去秽功，神明看朝御。

枲耳实

味甘，温。主风头寒痛①，风湿周痹，四肢拘挛痛，恶肉死肌。久服益气，耳目聪明，强志轻身。一名胡枲，一名地葵。生川谷。

耳食长生，推求贱质。延蔓珰垂，结丛盘密。

薄采顷筐，判离盈室。下箸忘饥，依稀奴橘。

《史记·年表》：此与以耳食无异。《晋书·传》：求媒阳之美谈，推沙砾之贱质。苏轼记：药至贱而为世要用，无若苍耳长生药也。《诗笺·葛覃》：延蔓谷中。《诗》疏：今人谓之耳珰草。李峤诗：忘忧自结丛。《广雅》：枲耳丛生如盘。《诗》：采采卷耳，不盈顷筐。《离骚》：薋菉葹以盈室兮，判独离而不服。李白诗：他筵不下箸，此席忘朝饥。杜甫诗：依稀橘奴迹。陆龟蒙诗：旧栽奴橘老。

葛　根

味甘。主消渴，身大热，呕吐，诸痹，起阴气，解诸毒。葛谷：主下利十岁已上。一名鸡齐根。生川谷。

鸡齐鹿藿，庇本繁滋。臂伸踡曲，脰绝纷披。

累依桂树，枯化萱枝。秋登谷似，龆龀扶羸。

《名医》曰：一名鹿藿。《左传》注：葛藟庇其本根，藟蔓繁滋者，以本枝荫庇之多。苏颂曰：根形大如手臂。庾信表：

① 风头寒痛：《本草经疏》作“风寒头痛”。

一枝踡曲。苏恭曰：葛根入土五六寸以上者名葛脰，有微毒，服之令人吐。《说苑》：王蠋悬躯绝脰。许有壬诗：筐筥荐纷披。刘向《九叹》：葛藟累于桂树兮。张时彻诗：愿留枯根株，化作萱花枝。李时珍曰：葛谷是实，八、九月采之。《诗》：式谷似之。庾信碑：未逾龆龀。《宋史·传〈李渎〉》：扶羸养疾。

栝楼根

味苦，寒。主消渴，身热烦满，大热，补虚，安中，续绝伤。一名地楼。生川谷及山阴。

果蓏兼名，幽根蟠结。粉沁秋霜，花霏瑞雪。

枯润津回，阴纯体洁。入夏筋凝，毒防卤啮。

李时珍曰：栝楼即果赢转音，木上曰果，地下曰蓏，此物蔓生附木，故得兼名，洁白如雪，故名瑞雪。苏颂曰：一名天花粉。沈约诗：幽根未蟠结。成无己曰：润枯燥而通行津液。李杲曰：纯阴解烦渴。傅咸赋：体洁性真。李时珍曰：夏月掘者有筋无粉，不堪用。《名医》曰：生卤地者有毒。

苦　参

味苦，寒。主心腹结气，癥瘕，积聚，黄疸，溺有余沥，逐水，除痈肿，补中，明目，止泪。一名水槐，一名苦蘵。生山谷及田野。

骈茎三五，萌蘖春催。蘵名别菜，叶类骄槐。

疏风齿固，遏气腰隤。患增偏胜，化变心裁。

苏颂曰：根三五茎并生，春生冬凋。李时珍曰：与菜苦蘵同名异物。陶弘景曰：叶极似槐叶。《别录》：一名骄槐。《史记·传》：齐大夫病龋齿，以苦参汤日漱三升，出入其风。胡震亨曰：苦参峻补阴，或致腰重者，气降而不升也。张从正曰：

苦参久服，必有偏胜气增之患。《易》：化而裁之谓之变。

当 归

味甘，温。主咳逆上气，温疟寒热，癣在皮肤中，妇人漏下绝子，诸恶创疡，金创，煮饮之。一名干归。生川谷。

各有攸归，身其余几。细摘蚕头，肥收马尾。

望远迟迟，相招亹亹。血海增光，地仙是跩。

陈承曰：能使气血各有所归，当归之名出此。李时珍曰：治上用头，治下用尾，治中用身。《左传》：身其余几。苏恭曰：似细叶芎䓖者，名蚕头，不堪用；似大叶芎䓖者，名马尾。古谚：远望可以当归。孟郊诗：意恐迟迟归。《古今注》：古人相招，以文无当归也。挚虞赋：气亹亹而愈新。《云仙杂记》：窦淝以当归为地仙圆，曰：使血海增光。

麻 黄

味苦，温。主中风、伤寒头痛，温疟，发表出汗，去邪热气，止咳逆上气，除寒热，破癥坚积聚。一名龙沙。

雄雌类辨，根杂赤黄。暖无积雪，轻自浮阳。

护营通卫，减热含凉。推行尼止，理妙难量。

苏颂曰：麻黄有二种，雄者不结子，雌者结子。僧继洪曰：中牟有麻黄之地，冬不积雪，泄内阳也。张元素曰：气味俱薄，轻清而浮阳也。李时珍曰：其根皮色黄赤，内护于营，外通于卫，为发散火郁之药。孟浩然诗：绪风初减热。傅咸赋：气泠泠以含凉。《易》：推而行之谓之通。《孟子》：止或尼之。李时珍曰：麻黄发汗，根节止汗，物理之妙，不可测度。

通 草

味辛，平。主去恶虫，除脾胃寒热，通利九窍，血脉，关节，令人不忘。一名附支。生山谷。今名木通。

藤支万年，中通营膆。引蔓浆流，解吹气透。

甘受白藏，辛咀紫厚。活苋名同，根寻天寿。

甄权曰：一名万年藤。韩愈诗：经纪肖营膆。陶弘景曰：绕树藤生，汁白，茎有细孔，含一头吹之，气出彼头者良。李时珍曰：有紫白二色，紫者皮厚味辛，白者皮薄味甘，皆能通利。苏颂曰：《尔雅》活苋即通脱木也。李杲曰：通脱木亦有通草之名，与木通同功用。苏颂曰：天寿根出台州。

芍　药

味苦，平。主邪气腹痛，除血痹，破坚积，寒热，疝瘕，止痛，利小便，益气。生山谷及丘陵。

阶翻绰约，花色随科。金浓脂腻，紫瘦脉多。

将离谑赠，具味滋和。酸收甘缓，深察弗讹。

谢朓诗：红药当阶翻。李时珍曰：芍药犹婥约也，根之赤白，随花之色。《古今注》：芍药有二种，金芍药色白多脂，木芍药色紫多脉。一名将离，故将别以赠之。《诗》：伊其相谑。司马相如赋：芍药之和具而后御之。成无己曰：白补而赤泻，白收而赤散，酸以收之，甘以缓之。武王《钥铭》：深察讹。

蠡　实

味甘，平。主皮肤寒热，胃中热气，风寒湿痹，坚筋骨，令人嗜食。久服轻身。花、叶去白虫。一名剧草，一名三坚，一名豕首。生川谷。

挺出荒郊，弗劳锄垦。帚拥三坚，丛攒一本。

倒薤参差，束蒲苯䔿。解异寒温，事权益损。

苏恭曰：《月令》“荔挺出”即此。苏轼诗：荒涩旋锄垦。

《尔雅》：芣，马帚也。何逊《七召》：拥帚者继足。李时珍曰：荒野中就地丛生，一本二三十茎。《广雅》：马薤，荔也。庾肩吾序：参差倒薤。《说文》：荔似蒲而小。《诗》：不流束蒲。张衡赋：苯蓴蓬茸。韩保昇曰：性寒。苏颂曰：大温有奇效。《淮南子》：益损者，其王者之事与。

瞿　麦

味苦，寒。主关格诸癃结，小便不通，出刺，决痈肿，明目去翳，破胎堕子，下闭血。一名巨句麦。生山谷。今名石竹。

轻逾秀麦，兰菊通邻。乱抽玉瘦，碎剪霞新。

蜂怜色好，麝过香匀。春风买断，还较霜筠。

陶弘景曰：子颇似麦，故名。《名医》曰：一名大兰。《尔雅》：蘧麦，大菊也。张咏诗：昔年吟社偶通邻。王安石诗：种玉乱抽青节瘦。林逋诗：碎片英英剪海霞。独孤及诗：游蜂怜色好。杜甫诗：麝香眠石竹。陆龟蒙诗：买断春风是此花。张耒诗：谓尔胜霜筠。

元　参

味苦，微寒。主腹中寒热积聚，女子产乳余疾，补肾气，令人目明。一名重台。生川谷。

上下枢机，控清引浊。高节竹萌，垂阴柳弱。

肠系鹿蟠，根潜蚕啄。涣散氤氲，香馥百濯。

张元素曰：元参乃枢机之剂，管领诸气，上下清肃而不浊。左思赋：控清引浊。苏颂曰：茎方大有节若竹，高五六尺，叶对生如槐柳而尖长。吴普曰：一名鹿肠。李时珍曰：宿根多，地蚕喜食之，故其中空。张元素曰：治胸中氤氲之气，无根之火。马志曰：合香家用之，故俗名馥草。

秦　艽

味苦，平。主寒热邪气，寒湿风痹，肢节痛，下水，利小便。生山谷。

飞乌山畔，纠植交纷。苢青叶布，葛紫花芬。

中剔冲土，左隐罗文。实成月计，化速絪缊。

《名医》曰：生飞乌山谷。苏颂曰：根土黄色而相交纠，叶青色如莴苢叶，花紫色似葛花，当月结子。陶弘景曰：中多冲土，用宜破去，根作罗文。李时珍曰：以左文者良。《汉书·纪》：月计有余。《易》：天地絪缊，万物化醇。

百　合

味甘，平。主邪气腹胀，心痛，利大小便，补中益气。生山谷。

蒜结莲含，夜深香引。四向旁歧，中逢合紧。

味胜蹲鸱，化传结蚓。似柳如萱，莳连畦畛。

陶弘景曰：根如胡蒜。《尔雅翼》：状如白莲花。陈淳诗：夜深香满屋。李时珍曰：此物花叶根皆四向。《名医》曰：一名中逢花。宋阙名诗：软温甚蹲鸱。《岁时广记》：或云是蚯蚓相缠，结变作之。《群芳谱》：山丹红花，叶如柳叶；卷丹花如萱花，根俱似百合而迥别。石贯赋：致诚不昧于畦畛。

知　母

味苦，寒。主消渴热中，除邪气，肢体浮肿，下水，补不足，益气。一名蚔母，一名连母，一名野蓼，一名地参，一名水参，一名水浚，一名货母，一名蝭母。生川谷。

宿根分系，厥状虻蚔。呼聆众母，踵接群儿。

蒸收火定，热濯阴滋。槐砧适性，镔铁相违。

李时珍曰：宿根之旁生子根，如虻蚳之状。《礼》：子产犹众人之母也。《名医》曰：一名儿草，又名儿踵草。李杲曰：其用有四，疗有汗之骨蒸，泻无根之肾火，止虚劳之热，滋化源之阴。雷敩论：凡使于槐砧挫细，勿犯铁器。

贝母

味辛，平。主伤寒，烦热，淋沥，邪气，疝瘕，喉痹，乳难，金创，风痉。一名空草。

陟彼阿邱，物融心会。叶接苗生，根连蒂荟。

采候熟葫，聚陈编贝。精结丹龙，筋摧脉害。

《诗》：陟彼阿邱。《诗》注：采虻，贝母也，主疗郁结之疾。江休复诗：心会境物融。苏颂曰：叶随苗出。《诗》疏：贝母子在根下，连累相着。苏恭曰：蒜熟时采之良。《尔雅翼》：大蒜为葫。陶弘景曰：形似聚贝子。雷敩论：贝母中有独颗者名丹龙精，误服令人筋脉不收。

白茝①

味辛，温。主女人漏下赤白，血闭，阴肿，寒热，风头侵目泪出，长肌肤润泽，可作面脂。一名芳香。生川谷。

骚人连咏，志洁称芳。风回养鼻，烟迷褰裳。

蘅兰共揽，萧艾休攘。采遴黄泽，秋思江乡。

《离骚》：扈江离与辟茝兮。又：岂惟纫乎蕙芷。又：杂杜蘅与芳茝。《史记·传〈屈原〉》：其志洁，故其称物芳。李群玉诗：风回日暮吹芳茝。《荀子》：侧载睪茝，所以养鼻也。范成大诗：芊茝迷烟路。谢混诗：褰裳顺兰茝。司马相如赋：蘅

---

① 白茝（chǎi）：白芷。《汉书·礼乐志》："侠嘉夜，茝兰芳，澹容与，献嘉觞。"颜师古注："茝，即今白芷。茝音昌改反。"

兰茝若。《九章》：揽大薄之芳茝。张衡赋：珍萧艾于重笥兮，谓蕙茝之不香。苏颂曰：以黄泽者为佳。僧德祥诗：一时秋思入江乡。

淫羊藿

味辛，寒。主阴痿，绝伤，茎中痛，利小便，益气力，强志。一名刚前。生山谷。

九叶三枝，植谋背水。紫溢柔须，青敷细齿。

蹩躠腾骞，劥勑奋起。放杖逍遥，刚前振靡。劥，邱庚切。勑，枯怀切。

苏颂曰：一名三枝九叶草。韩保昇曰：言生处不闻水声者良，叶青似杏叶，根紫色有须。罗隐启：更谋背水。李时珍曰：叶薄而细齿。柳宗元诗：蹩躠皆腾骞。《集韵》：劥勑，人有力貌。日华子曰：一名放杖草。

黄　芩

味苦，平。主诸热，黄疸，肠澼泄利，逐水，下血闭，恶创疽蚀，火疡。一名腐肠。生川谷。

修条尾似，黠鼠奔豚。黄深北塞，黔杂西原。

枯飘利表，坚实滋源。督邮耐苦，决躁疏烦。

陶弘景曰：一名鼠尾芩。苏恭曰：一名豚尾芩。李时珍曰：子芩新根，今谓之条芩，或言北芩深黄，西芩色黔，黔乃黄黑之色也。《易林》：沙漠北塞。岑参诗：西原驿路挂城头。李杲曰：黄芩之中枯而飘者，利气消痰，清肌表之热；实而坚者，养阴退阳，泻火补水，滋其化源。《记事珠》：一名苦督邮。《易》：震为决躁。《中论》：疏烦以理之。

狗　脊

味苦，平。主腰背强，关机缓急，周痹寒湿膝痛，颇利老人。一名百枝。生川谷。

强扶百枝，舒拳如蕨。赤脉簇须，金茸歧骨。

髀脊偾盈，筋骸超越。黄耇康强，清秋健鹘。

《名医》曰：一名强膂，一名扶筋。李时珍曰：叶似大叶蕨。苏轼诗：韭芽戴土拳如蕨。吴普曰：叶端圆，青赤，皮白有赤脉。雷敩论：凡修事火燎去须。苏颂曰：根黑色，多歧，似狗脊骨。陈鉴赋：髀膂偾盈。《剧谈录》：田膨郎且善超越。《诗》：黄耇台背。《书》：身其康强。苏舜钦诗：气劲健鹘横清秋。

石龙芮

味苦，平。主风寒湿痹，心腹邪气，利关节，止烦满。久服轻身，明目，不老。一名鲁果能，一名地椹。生川泽石边。

连丛泉石，阴湿潜涵。堇滑瀡瀡，葚熟咀甘。

劣区河北，胜选山南。天雄名假，亦共龙参。

刘孝胜诗：连丛去本叶。李时珍曰：多生近水下湿地。《方言》：潜涵，沉也。掌禹锡曰：《尔雅》言"苦堇"即此。《礼》：堇萱枌榆免薧，滫瀡以滑之。苏恭曰：实如桑葚，故又名地椹，山南者粒大，河北者细，劣于山南。又天雄亦名石龙芮。韩维诗：插芳咀甘。李白诗：龙参若护禅。

茅根

味甘，寒。主劳伤虚羸，补中益气，除瘀血，血闭，寒热，利小便。其苗主下水。一名兰根，一名茹根。生山谷田野。

猗彼菅茅，白华洁质。三脊标灵，连茹汇吉。

诱喻麇包，光留萤出。布地针穿，春郊比栉。

《诗》：白华菅兮，白茅束兮。《易》疏：白茅，用洁白之茅。《史记·书》：江淮之间，一茅三脊。吕岩说：有灵茅赋。《易》：拔茅茹以其汇，征吉。《诗》：野有死麋，白茅包之。有女怀春，吉士诱之。李时珍曰：其根夜视有光，腐则变为萤火。苏颂曰：春生茅，布地如针，俗谓之茅针。《诗》：其比如栉。

紫　菀

味苦，温。主咳逆上气，胸中寒热结气，去蛊毒，痿蹶，安五脏。生山谷。

有菀其特，上气夷瘳。紫深节润，白贲毛柔。

山疏春暮，水注东流。羊须练色，漫易牵牛。

《诗》：有菀其特。《灵枢经》曰：风寒舍于肺，发咳上气。《诗》：靡有夷瘳。日华子曰：根作节，紫色，润软为佳。陶弘景曰：本有白毛，根甚柔细。《名医》曰：三月采根，阴干。雷敩论曰：凡使，用东流水洗净。有白如练色者名羊须草，自然不同。《孟子》：以羊易之。李时珍曰：一名夜牵牛。

紫　草

味苦，寒。主心腹邪气，五疸，补中益气，利九窍，通水道。一名紫丹，一名紫芺。生山谷。

黄白青沙，紫根密拥。利野兴锄，春耕分垄。

色耀花前，坚凭石重。几见雅衔，兰香嘉种。

《群芳谱》：紫草宜黄白软良之地及青沙地，秋耕深细，至春又转耕之，逐垄下子。李时珍曰：此草花紫根紫，未花时采根，色鲜明，以石压扁曝干，猺獞①呼为雅衔草。苏恭曰：苗似兰香。

---

① 猺（yáo 摇）：旧时对瑶族、壮族的蔑称。

败 酱

味苦，平。主暴热，火创，赤气，疥搔，疽痔，马鞍热气。一名鹿肠。生川谷。

丛生冈岭，败味含嘉。浅深菘叶，碎簇芹花。

酸咸并具，甘苦交加。谓鹿呼马，命意纷拿。

苏恭曰：此药多生冈岭间。陶弘景曰：根作陈败豆酱气，故名。李时珍曰：初时叶布地似菘菜，叶绿色面深背浅，顶开白花成簇如芹花，根味微苦带甘。日华子曰：味酸。《名医》曰：咸，微寒，一名鹿首，又名马草。《史记·纪》：赵高谓鹿为马。《庄子》：呼我马也，而谓之马。朱子书：辩说纷拿。

白 鲜

味苦，寒。主头风，黄疸，咳逆，淋沥，女子阴中肿痛，湿痹死肌，不可屈伸起止行步。生川谷。

茎类槐茱，远搜栈阁。春孕坚凝，炎蒸虚恶。

膻近白羊，累垂金雀。表里融通，黄消风却。

苏颂曰：根青叶稍白，如槐，亦似茱萸。李洞诗：栈阁交冰柱。陶弘景曰：以蜀中者为良，俗呼白羊鲜。苏恭曰：皮白而心实，根宜三月采，若四、五月采，便虚恶矣。李时珍曰：此草根白色作羊膻气，其子累累如椒。日华子曰：名金雀儿椒，为诸黄风痹要药。任昉行状：表里融通。

酸 浆①

味酸，平。主热烦满，定志，益气，利水道，产难吞其实，立产。一名醋酱。生川泽。

① 酸浆：原作“蘸酱”，据清·孙星衍辑《神农本草经》及下文改。

苦葴苦蒖，中贮山樱。风摇铃动，珠耀灯明。

洛神鸣珮，王母垂缨。胚胎热解，如达全生。

陈藏器曰：一名苦葴，小者名苦蒖。寇宗奭曰：壳中子大如樱红色。李时珍曰：其花如杯，结一铃，壳凡五棱，一枝一颗，下悬如灯笼之状。掌禹锡曰：关中人谓之洛神珠，一名王母珠。李白词：素女明珠珮。王起赋：解彼珠缨。《圣济总录》：治妇人胎热。《诗》：先生如达。《礼》：父母全而生之。

紫　参

味苦辛，寒。主心腹积聚，寒热邪气，通九窍，利大小便。一名牡蒙。生山谷。

三辅幽芳，青赤弥谷。飞羽翩翻，歧蹄排蹴。

厚积阴沉，坚消心腹。火炙根温，紫光熠煜。

范计然曰：紫参出三辅，以青赤色为善。钱起序：紫参幽芳也，五葩连萼，状飞禽羽举。张衡赋：众鸟翩翻。苏恭曰：叶似羊蹄。何逊《七召》：亦左排而右蹴。李时珍曰：气味俱厚，阴也，沉也。甄权曰：治心腹坚胀。苏颂曰：三月采根，火炙紫色。柳宗元《晋问》：日晶熠煜。

藁　本

味辛，温。主妇人疝瘕，阴中寒肿痛，腹中急，除风头痛，长肌肤，悦颜色。一名鬼卿，一名地新。生山谷。

畤生五臭①，润泽程功。本侪禾藁，论若芎䓖。

毒披瘴雾，郁散寒风。四肢安畅，泮涣冬烘。

《管子》：五臭畤生藁本。《名医》曰：润泽疗风，邪流于

① 五臭：五种气味。《庄子·天地》："五臭薰鼻，困惾中颡。"成玄英疏："五臭，谓羶、薰、香、鯹、腐。"

四肢。《礼》：程功积事。苏恭曰：根上苗下似禾槀。《淮南子》：论人者若芎䓖之与藁本也。陈元素曰：太阳经风药，其气雄壮，寒气郁于本经，头痛必用之，治雾露之清邪中于上焦。苏轼诗：遇境即安畅。王太真赋：牢落泮涣。《摭言》：头脑冬烘。

石　韦

味苦，平。主劳热，邪气，五癃闭不通，利小便水道。一名石韉。生山谷石上。

静寄阴森，离披险罅。韉质坚柔，金星映射。

水远潺湲，声休叱咤。蟠石久要，浑忘凋谢。

陶潜诗：静寄东轩。温庭筠诗：画壁阴森九子堂。韦应物诗：草木晚离披。李时珍曰：多生阴崖险罅处，柔韧如皮，亦有金星者，凌冬不凋。《名医》曰：生山谷石上，不闻水声、人声者良。《正韵》：潺湲，水流貌，一曰水流声。《史记·传〈项王〉》：喑哑叱咤。《易通卦验》：下如蟠石。《论语》：久要不忘。张昱诗：芳容有凋射。

萆　薢

味苦，平。主腰背痛，强骨节，风寒湿周痹，恶创不瘳，热气。生山谷。

百枝赤节，质异名仍。花研众采，叶镂三棱。

春秋分撷，虚实搜征。金根铁角，味辨淄渑。

吴普曰：一名百枝。《名医》曰：一名赤节，与狗脊同名，二月、八月采根。苏颂曰：花有黄、红、白三种，叶作三叉。苏恭曰：此有二种，茎有刺者根实，无刺者根虚，软为胜。《博物志》：菝葜与萆薢相乱。李时珍曰：菝葜，江浙人谓之金刚根，楚人谓之铁菱角。《列子》：口将爽者，先辨淄渑。

白 薇

味苦，平。主暴中风，身热，肢满，忽忽不知人，狂惑邪气，寒热酸疼，温疟洗洗，发作有时。生川谷。

春草纤微，分阴属妇。红颤轻花，青归细柳。

烦洗清凉，狂回攻掊。禊节三三，秉兰共友。

《尔雅》：葞，春草也。李时珍曰：微、葞音相近，微，细也，其根细而白也。王好古曰：古方多用以治妇人。《易》：分阴分阳。《诗》：至于属妇。苏颂曰：根叶俱青，颇类柳叶，六、七月开红花。苏轼诗：清凉洗烦煎。宋濂诗：良剂急攻掊。《名医》曰：三月三日采根。《韩诗外传》：郑国之俗，上巳秉兰草，祓除不祥。《宋书·志》：魏以后但用三月三日。

水 萍

味辛，寒。主暴热身痒，下水气，胜酒，长须发，消渴。久服轻身。一名水华。生池泽。

陌花漠漠，池水油油。风翻星乱，月逗云浮。

铺茵鸭睡，开翠鳞游。莫言湮梗，岂逐群流。

李时珍曰：季春扬花入水所化。杨云鹤赋：嗟扬花之漠漠。元稹诗：池光漫油油。庾肩吾诗：风翻乍青紫。赵昂赋：月上兮处处疑星。钱起诗：浮云正似萍。《云林异景志》：太原少尹樊千里，载数车浮萍入池，为鸭作茵褥。杨基诗：鱼跳翠乍开。常衮赋：同乎漂梗之人。《南濠诗话》引魏仲先《盆池萍》诗：免得漂然逐众流。

王瓜

味苦，寒。主消渴，内痹①，瘀血，月闭，寒热，酸疼，益气，愈聋。一名土瓜。生平泽。

俯瞩篱垣，蔓牵瓞瓟。花小黄匀，叶圆青濯。

甫降青霜，纷垂赤雹。三五根连，壅培墝埆。

《名医》曰：生鲁地田野及人家墙垣。《诗笺》：瓜瓞，瓜小状似瓟，故谓之瓞。李时珍曰：其蔓多须，叶圆如蹄有尖，面青背淡，江西人栽之沃土，六、七月开小黄花成簇。王勃序：紫电青霜。寇宗奭曰：瓜壳径寸，长二寸许，七、八月熟，红赤色，今人谓之赤雹子，细根上又生淡黄根，三五相连。《汉书·传》注：墝埆瘠薄之地。

地榆

味苦，微寒。主妇人乳痓痛，七伤，带下病，止痛，除恶肉，止汗，疗金创。生山谷。

平原榆布，特立茎苗。宝珠安用，玉豉常调。

阳骄雾敛，金铄石销。茗香酿熟，借佐山肴。

苏颂曰：平原山泽处处有之，苗初生布地，独茎直上，叶似榆叶。《古词》：宁得一把地榆，安用明目宝珠。《煮石经》：何不食石用玉豉。注，地榆也。《群芳谱》：此草雾而不湔，太阳气盛故也，烧灰能铄金石。其根作饮若茗汁，酿酒。其叶又可煠食。欧阳修记：山肴野蔌。

海藻

味苦，寒。主瘿瘤气，颈下核，破散结气，痈肿，癥瘕，

---

① 内痹：即内脏痹证，如心痹、肺痹等。《本草经疏》作“内疸”。

坚气，腹中上下鸣，下十二水肿。一名落首。生池泽。

托身洪流，藏修洁澡。萦带萝牵，如云发绕。

火借光明，鉴形丑好。傈组似纶，偕功海岛。

嵇康诗：俯唼绿藻，托身洪流。《礼》：藏焉修焉。《埤雅》：藻，水草之有文者。字从澡，言自洁如澡也。杜甫诗：径石相萦带。昭明太子诗：牵萝下石磴。《尔雅》注：一名海萝。《诗》：鬒发如云。陶弘景曰：生海岛，黑色如乱发。《书》注：藻火，藻取其洁，火取其明也。阎复启：藻鉴垂光。刘禹锡赋：彼多方兮，自生丑好。李时珍曰：《尔雅》云"纶似纶，组似组，东海有之，即昆布也"，性味相近，主疗一致。

泽　兰

味苦，微温。主乳妇内衄，中风余疾，大腹水肿，身面四肢浮肿，骨节中水，金创，痈肿创脓。一名虎兰，一名龙枣。生大泽旁。

猗猗兰靃，秋发幽香。南陔叶并，九畹茎方。

遗思纫佩，具浴燂汤。窃名荪芷，引类都梁。

嵇康诗：猗猗兰靃。苏颂曰：七月开花紫白色。束晳诗：循彼南陔，言采其兰。吴普曰：二月生苗，赤节，四叶相值。苏恭曰：茎方节紫。《离骚》：纫秋兰以为佩。又：余既滋兰之九畹兮。《九歌》：浴兰汤兮沐芳。又：折芳馨兮遗所思。《礼》：三日则燂汤请浴。《遯斋闲览》：楚辞所咏之兰，或以为猗兰，或以为都梁香，当以泽兰为正。杨慎序：人家盆植如蒲萱者，兰之别种，曰荪与芷耳，九畹之受诬千载矣。《尔雅翼》：今之兰草，都梁香也。

防　己

味辛，平。主风寒，温疟，热气，诸痫，除邪，利大小便。

一名解离。生川谷。

如葛延缘，水驱风障。辐解文分，茎通气壮。

险健思防，敌仇善将。丁足腥闻，木强弗尚。

李当之曰：其根如葛蔓延。陈藏器曰：治风用木防己，治水用汉防己。苏颂曰：破之文作车辐解，茎甚嫩，折其茎，一头吹之，气从中贯，如木通然。李杲曰：防己如险健之人，首为乱阶，若善用之，亦可御敌。《易》：君子以思患而豫防之。黄庭坚诗：不战者善将。雷敩论：凡使，勿用黄腥皮皱有丁足者。《书》：腥闻在上。陶弘景曰：黑点木强者，不佳。

款冬花

味辛，温。主咳逆上气，善喘，喉痹，诸惊痫，寒热邪气。一名橐吾，一名颗冻，一名虎须，一名兔奚。生山谷。

类形莼茆，保质三冬。兔奚钻冻，蜂斗能容。

丰肥萼直，茂悦冰封。阴蒸阳煦，心似寒松。

陶弘景曰：其形如宿莼。《诗》疏：茆，江东人谓之蓴。傅咸赋：独保质而全形。李时珍曰：一名钻冻。苏颂曰：十二月开花，黄青紫萼，初出如菊花，通直而肥。又有红花，叶如荷而斗直，大者容一升，小者容数合，俗呼蜂斗叶。《述征记》：洛水款冬花，茂悦层冰之中。郭璞赞：阳煦阴蒸。苏轼诗：知君心似后雕松。

牡　丹

味辛，寒。主寒热，中风，瘈疭，痉，惊痫，邪气，除癥坚，瘀血留舍肠胃，安五脏，疗痈创。一名鹿韭，一名鼠姑。生山谷。

百两精金，丹延植盛。荆棘同俦，琅玕是竞。

艳思移姿，真香失性。枯燥形全，四经顺令。

陶弘景曰：土人谓之百两金。李时珍曰：丹州延州以西，及褒斜道中最多，与荆棘无异，其根入药最良。白居易诗：根本是琅玕。苏颂曰：世人欲花之诡异，秋冬移接，培以壤土，至春盛开，其状百变，其根性殊失本真，不可入药。温庭筠诗：裁成艳思偏应巧。苏轼诗：真香亦竟空。苏颂曰：山牡丹，茎梗枯燥。李时珍曰：治手足少阴厥阴四经伏火。

马先蒿

味平。主寒热，鬼注，中风，湿痹，女子带下病，无子。一名马屎蒿。生川泽。

先缘新近，蒿以高瞻。麻花紫艳，豆角青尖。

牡因子辨，邪远名嫌。马通臭味，炼石炎炎。

苏恭曰：一名马新蒿。《晏子》：蒿，草之高者也。掌禹锡曰：七月开花，似胡麻花而紫赤；八月生角，似豆角锐而长。李时珍曰：马先蒿、牡蒿，原是二种。《诗》疏：所谓有子者，乃马先蒿，而复引无子之牡蒿释之，误矣。蒿气如马矢，先乃矢之讹，新又先之讹也。《北史·传》：食菜有邪蒿，邢峙令去之，曰：此菜有不正之名。《礼》：礼不讳嫌名。《汉书·传》注：以马通薰之，马矢也。《名医》曰：一名炼石草。陶弘景曰：又名烂石。《诗》：赫赫炎炎。

积雪草

味苦，寒。主大热，恶创，痈疽，浸淫，赤熛，皮肤赤，身热。生川谷。

叶叶特生，沿溪萦碧。海挹苏融，雪霏寒积。

重叠钱圆，参差荇垿。茶饮辛香，风生两腋。

苏恭曰：此草蔓生溪涧侧。倪瓒诗：冷文萦碧暮烟和。苏颂曰：一名海苏。陶弘景曰：积雪草，以寒凉得名。寇宗奭曰：形如水荇，叶叶各生，今人谓之连钱草。蔡邕表：前后重叠。《诗》：参差荇菜。苏颂曰：江浙人多以作茶饮。《庚辛玉册》：引蔓搏地，香如细辛。卢仝诗：惟觉两腋习习清风生。

女　菀

味辛，温。主风洗洗，霍乱，泄利，肠鸣上下无常处，惊痫，寒热，百疾。生川谷或山阳。

负阴尚白，集菀嘘枯。金清肺洁，玉润肤腴。

名题织女，形易妆嫫。五辛味浊，远屏沾濡。

《老子》：负阴而抱阳。《礼》：殷人尚白。《名医》曰：一名白菀，一名织女菀。《国语》：人皆集于菀，己独集于枯。《后汉书·传》：孔公绪嘘枯吹生。《搜神记》：金清则义。《南史·传〈刘遵〉》：内含玉润。《肘后方》：治人面黑令白，忌五辛，手太阴气分药也。肺热则面紫黑，肺清则面白。白居易诗：妆嫫徒费黛。《晋书·志》：我志沾濡。

王　孙

味苦，平。主五脏邪气，寒湿痹，四肢疼酸，膝冷痛。生川谷。

饵之延年，终南具有。呼听多孙，讹沿两牡。

摩顶河车，剥肤旱藕。夜合黄昏，名同物否。

《唐书·传〈姜抚〉》：言终南山有旱藕，饵之延年，甘守诚曰牡蒙也。王孙别名。易名以神之耳。《诗》：终南何有。吴普曰：楚名王孙，齐名长孙，又名海孙。《名医》曰：一名黄孙。《易林》：受福多孙。《诗》：并驱从两牡兮。李时珍曰：古方所用牡蒙是紫参，后人所用牡蒙乃王孙，叶生颠顶，类紫河车叶。《孟子》：摩顶放踵。《易》：剥床以肤。李时珍曰：一名黄昏与夜合，名同物异。

蜀羊泉

味苦，微寒。主头秃，恶创，热气，疥搔，痂癣虫，疗龋齿。生川谷。

沃饶西蜀，阴湿萌生。蚓吹流肿，蜂缀坚茎。

细区鼠迹，滑误鸦睛。功收漆啮，涂浴兼营。

卢思道诗：西蜀称天府，由来擅沃饶。苏恭曰：俗名漆姑，生阴湿地。颜延之诗：惠浸萌生。《摘元方》：蚯蚓气吹者，捣入黄丹奋之。李时珍曰：黄蜂作窠，衔漆姑草为蒂。陈藏器曰：漆姑叶细，多生石边。苏恭曰：捣涂漆疮，羊泉乃大草，漆姑草如鼠迹大，生阶墀间，乃同名也。苏颂曰：或言老鸦眼睛草。李时珍：谓此乃龙葵也，性滑如葵，苏误认。耳生漆疮者，煎汤浴之。

爵　床

微咸，寒。主腰脊痛，不得着床，俯仰艰难，除热，可作浴汤。生川谷及田野。

错认香菜，挼搓气劣。平泽熟田，方茎对节。

纵竖脊坚，引伸腰折。麻直苏舒，澡身止热。

李时珍曰：原野甚多，方茎对节，大叶似香菜，搓之不香。苏恭曰：此草生平泽熟田。沈约赋：既纵竖而横构。刘因诗：曾经坚脊度危关。《易》：引而伸之。《晋书·传》陶潜曰：我岂能为五斗米折腰。吴普曰：一名爵麻。《别录》曰：一名香苏。颜延之颂：类麻能直。李时珍曰：苏性舒畅，故谓之苏。

《礼》：儒有澡身而浴德。

假苏

味辛，温。主寒热，鼠瘘，瘰疬生创，破结聚气，下瘀血，除湿痹。一名鼠蓂。生川泽。今名荆芥。

如苏久假，味亦辛温。旅生掇野，树艺浇园。

藏同鼠朴，毒禁鱼飧。摘蔬闲觅，碍石盘根。

苏恭曰：气味辛香如苏。《孟子》：久假而不归。《后汉书》注：野谷不因种植而生，曰旅生。柳宗元诗：掇野代嘉肴。《周礼》：大司徒二曰树艺。庾信赋：石堰水而浇园。李时珍曰：荆芥原是野生，今为世用，遂多栽莳，布子生苗，炒食。《战国策》应侯曰：周人谓鼠未腊者为朴。《公羊传》：赵盾方食鱼飧。《辍耕录》：凡食河豚，不可食荆芥。苏轼诗：穿林间觅野芎苗。方干诗：须知碍石作盘根。苏颂曰：又有石荆芥，生山石间，体性相近。

翘根

味甘，寒、平。主下热气，益阴精，令人面悦好，明目。久服轻身，耐老。生平泽。

根若扬翘，作甘和苦。产忆高嵩，性同曲枸。

冠玉增容，披云快睹。记佚形忘，久荒榛莽。

郑曼季诗：春草扬翘。《书》：稼穑作甘。《周礼·食医》：凡和，夏多苦。《太平御览》：作味苦平。《名医》曰：生嵩高山，二、八月采。吴普曰：采以作蒸，饮酒病人。《诗》疏：南山有枸，多枝而曲，能败酒味。《南史·传〈鲍泉〉》：面如冠玉。赵良器赋：光近侍以增容。《世说》：若披云雾而睹青天。陶弘景曰：方药不用，俗无识者。李白诗：嵯峨蔽榛莽。

桑根白皮

味甘，寒。主伤中，五劳，六极，羸瘦，崩中，脉绝，补虚，益气。叶主除寒热，出汗。桑耳黑者，主女子漏下赤白汁，血病癥瘕，积聚，阴补[1]，阴阳寒热，无子。五木耳名檽，益气，不饥，轻身，强志。生山谷。

东方神木，公桑女桑。休哉苞系，沃若条扬。

寄生耳黑，构接衣黄。附疏五檽，志奋功襄。檽音软。

《说文通释》：桑，东方自然神木之名。《礼》：天子诸侯必有公桑蚕室。《诗》：猗彼女桑。《宋史·志》：欢愿休哉。《易》：休否，系于苞桑。《诗》：其叶沃若。又：以伐远扬。传：条扬也。陶弘景曰：桑耳又呼为桑上寄生。《群芳谱》：桑木将槁，黄衣构叶，则叶大。五檽，槐耳、榆耳、柳耳、柘耳、杨栌耳。李时珍曰：桑檽以下，功性则一也。

竹　叶

味苦，平。主咳逆上气，溢筋急，恶疡，杀小虫。根作汤，益气，止渴，补虚，下气。汁主风痓。实通神明，轻身，益气。

缥节黄苞，露凝寒湿。绿助秋声，粉含沥汁。

绷锦龙狞，蔬珠凤粒。千亩胸中，森森玉立。

韩愈诗：缥节已储霜，黄苞犹掩翠。方干诗：露凝寒色湿遮门。李白诗：绿竹助秋声。王维诗：绿竹含新粉。苏轼诗：槁竹欲沥汁。杨万里诗：锦绷半脱娟娟玉。朱子诗：缚得狞龙并寄我。陈造诗：密砌玉粒缀旒珠。《韩诗外传》：凤皇食竹实。苏轼诗：渭川千亩在胸中。白居易诗：玉立竹森森。

---

[1] 阴补：《本草经疏》《本草纲目》作"阴痛"，《新修本草》作"腹痛"。

茱　萸

味辛，温。主温中下气，止痛，咳逆，寒热，除湿血痹，逐风邪，开湊理[①]。根：杀三虫。一名藙。生山谷。

白藏节授，朱实纷敷。囊盛充佩，铃系含珠。

高山九日，东舍三株。匹椒和菊，香满杯盂。

孙楚赋：白藏授节。王维诗：朱实山下开。潘岳赋：华实纷敷。《离骚》：搬茱萸别名又欲充夫佩帏。《易洞林》：郭璞射覆，曰子如小铃含元珠，按文言之是茱萸。《续齐谐记》：今人九日登高饮酒，带茱萸囊，始于桓景。《杂五行书》：舍东种茱萸三株，延年益寿。宋祁赞：椒桂之匹。徐铉诗：长和菊花酒。《成都古今记》：蜀人进酒投艾子一粒，香满盂盏。

卮　子

味苦，寒。主五内邪气，胃中热气，面赤酒炮皻鼻，白赖[②]，赤癞，创疡。一名木丹。生川谷。

雪莹倾卮，薰风吹度。圆脑含苞，直棱分数。

黄烁柔金，红嫣染素。木戟钩枝，同方类附。

蒋梅边诗：清净法身如雪莹。李时珍曰：卮，酒器也，卮子象之。沈周诗：薰风吹结子。雷敩论：凡使，须要如雀脑者为上。苏颂曰：皮薄而圆小，刻房七棱至九棱者佳。司马相如赋：鲜支黄烁。李杲曰：《丹书》言卮子柔金。李商隐诗：侧近嫣红伴柔绿。《群芳谱》：实如诃子，中仁深红，可染缯帛。《名医》曰：木戟，生山中，叶如卮子，有名未用。《新论》：

---

① 湊理：腠理。湊，通"腠"。《文心雕龙·养气》："使刃发如新，湊理无滞"。

② 赖：通"癞"。恶疮病。《说文通训定声·泰部》"赖，假借为癞"。

盘根钩枝。陆机论：同方者以类附。

芜　荑

味辛。主五内邪气，散皮肤骨节中淫淫温行毒，去三虫，化食。一名无姑，一名蕨瑭。生川谷。

山榆束荚，心赤维嘉。擩盐香溢，酝酱辛加。

臭攻齿蛀，暖化腹瘕。袅潭山径，箭羽槎枒。

《说文》：梗山枌榆有束荚，可为芜荑者。《范子计然》云：芜荑在地，赤心者善。《诗》：维其嘉矣。苏颂曰：此榆乃大气臭，今人采实，以盐渍则失气味。《仪礼》：擩盐振祭。李时珍曰：酝为酱味尤辛。《危氏得效方》：虫牙，以芜荑安蛀孔即除。《仁斋直指方》：腹中鳖瘕，用芜荑及暖胃理中之剂。《五代史》：胡峤自契丹归，入大山，一大林长二三里，皆芜荑，枝叶有芒刺如箭羽。岑参文：如戟槎枒。

枳　实

味苦，寒。主大风在皮肤中，如麻豆苦痒，除寒热结，止利，长肌肉，利五脏，益气轻身。生川泽。

种枳编篱，鸾栖讵拟。橘碧移情，枫红著美。

大小殊功，速详具理。山叩崇吾，食宜孙子。

陆游诗：种枳为篱草结庐。李商隐诗：枳嫩栖鸾叶。《列子》：有大木焉，其名为橘，树碧而冬生，渡淮而北化而为枳。王逢诗：枫叶殷红枳实肥。寇宗奭曰：枳实，小则其性酷而速，大则其性详而缓。《山海经》：崇吾之山有木焉，其实如枳，食之宜子孙。

厚　朴

味苦，温。主中风，伤寒，头痛，寒热，惊悸气，血痹，死肌，去三虫。

不残纯朴，龙梓储珍。半出黄槲，层蔽苍榛。

白凝肤厚，紫透鳞皴。从容典职，佐助姜辛。

《庄子》：纯朴不残。苏颂曰：厚朴以龙州、梓州为上，叶如槲叶，鳞皴而厚。张衡文：远国储珍。郝经诗：半出黄槲岘。《名医》曰：一名榛。李白诗：苍榛蔽层邱。李时珍曰：肤白肉紫。释无可诗：枝干怪鳞皴。《纪异录》：卢端制既怀厚朴之才，宜典从容之职。日华子曰：凡入药须用姜汁炙浸。

秦 皮

味苦，微寒。主风寒湿痹，洗洗寒气，除热，目中青翳、白膜。久服头不白，轻身。生川谷。

小木岑高，溯源秦产。钗股黍苗，羸瘉蜗睆。

两鬓春新，双眸月满。试泛碧流，详披青简。

李时珍曰：木小而岑高，故又名梣皮，或云本出秦地。白居易诗：根稀比黍苗，稍刚同钗股。自注：祝苍华发神也。《淮南子》：梣木色青翳而羸瘉蜗睆，此皆治目之药。王建诗：春来黑发新。苏轼诗：观书眼如月。苏恭曰：取皮渍水成碧色，着纸皆青色者真。庾肩吾诗：羽陵青简出。

秦 椒

味辛，温。主风邪气，温中，除寒痹，坚齿发，明目。久服轻身，好颜色，耐老增年，通神。生川谷。

五行五义，光散衡星。通神御湿，贻我怀馨。

调浆介寿，涂屋蕃丁。月正元日，作颂镌铭。

《东坡诗注·吴真君服椒歌》：其椒应五行，其仁通五义。《春秋运斗枢》：玉衡星散为椒。《孝经援神契》：椒姜御湿。

《诗》：贻我握椒。《宋书·传〈臧焘〉》：幽兰怀馨僧。宗林诗：调浆美着骚经上。成公《绥铭》：永介眉寿。《汉宫仪》：椒房取其实，蔓延四民。《月令》：正月之旦，子孙各上椒酒。刘臻妻有《元日献椒花颂》。

山茱萸

味酸，平。主心下邪气，寒热，温中，逐寒湿痹，去三虫。久服轻身。一名蜀枣。生山谷。

名亦茱萸，性殊治疗。梅叶绿稠，杏枝红闹。

樲棘同酸，荆桃袭貌。春气半含，雀酥同调。

寇宗奭曰：山茱萸与吴茱萸甚不相类，治疗大不相同，未知何缘命名。《孟子》：其性与人殊。苏颂曰：叶如梅有刺，二月开花如杏，四月实如酸枣。薛能诗：辞林绿尚稠。《遯斋闲览》张子野曰：得非红杏枝头闹尚书耶。《尔雅》注：荆桃，今樱桃。李时珍曰：陶弘景注山茱萸及樱桃，皆言似胡颓子，凌冬不凋，即雀酥也，吴人呼为半含春，俨如山茱萸，酸涩亦同。

紫　葳

味酸，微寒。主妇人产乳余疾，崩中，癥瘕，血闭，寒热，羸瘦，养胎。生川谷。即凌霄花。

翘翘高艳，势客夤缘。龙鳞湿浥，蜴足轻坚。

拂云翠绕，斗日红妍。差池臭味，莫解萦缠。

梅尧臣赋：慕高艳而仰翘。《三柳轩杂识》：凌霄花为势客。赵汝回诗：夤缘直上照残霞。陆游诗：老蔓烟湿苍龙鳞。《群芳谱》：得木而上，即高数丈，须如蝎虎，足附树上甚坚牢。白居易诗：朝为拂云花。杨绘诗：强攀红日斗妍明。曾巩诗：固知臭味非相类，其奈萦缠不自由。《左传》：吾臭味也，而曷敢差池。

猪　苓

味甘，平。主痎疟，解毒，蛊蛀①不祥，利水道。久服轻身，耐老。一名猳猪屎。生山谷。

气感木余，枫根采掇。暨采苞零，琼腴囊括。

圆比竹丸，拳如松拨。升降咸宜，涤烦疗渴。

李时珍曰：亦是木之余气所结，他木皆有，枫树为多，其块零落而下。陶弘景曰：其皮黑色肉白而实者佳。陆龟蒙诗：更赋锦苞零。《易》：括囊无咎。李时珍曰：雷丸，竹之余气所结，一曰竹苓。《群芳谱》：古松枯槎不复上生者，谓之茯苓，拨有大如拳者。李时珍曰：猪苓淡渗，升而能降。《国史补》：涤烦疗渴，所谓茶也。

白　棘

味辛，寒。主心腹痛，痈肿，溃脓，止痛。一名棘针。生川谷。

茎如粉白，低列思名。针穿直刺，爪利钩萦。

鸮来肃肃，蝇止营营。景风洊至，赤实心诚。

苏恭曰：白棘根如粉白。李时珍曰：列生而低者为棘，观名可辨。《名医》曰：一名棘针。《尔雅翼》：棘刺有直者、钩者。《群芳谱》：一名赤龙爪。《诗》：肃肃鸨翼，集于苞棘。又：营营青蝇，止于棘。《白虎通德论》：景风至棘造实。《陈留耆旧传》：夫棘中心赤，外有刺，象我言有棘，而赤心之至

① 蛀：《本草纲目》《本草经疏》《本经疏证》作"疰"。

诚也。

龙　眼

味甘，平。主五脏邪气，安志，厌食。久服强魂，聪明，轻身，不老，通神明。一名益智。生山谷。

旁挺幽姿，莫如南土。金饰蜜脾，玉流膏乳。

星结良宵，珠还合浦。益智策勋，呼奴谁侮。

刘子翚诗：幽姿旁挺绿婆娑。《诗》：莫如南土。宋珏诗：外裹黄金饰。《荔支谱》：龙目丛生，玉露流晨。李商隐诗：红露花房白蜜脾。苏轼诗：平地走膏乳。《广东志》：澄海县七夕酒集，多用龙眼，谓之结星。《风土记》：七日为良日。苏轼诗：又恐珠还浦。《名医》曰：一名益智。王象晋诗：况兼益智策勋殊。《南方草木状》：一名荔支奴。《孟子》：谁敢侮之？

松　萝

味苦，平。主瞋怒，邪气，止虚汗，头风，女子阴寒肿病。一名女萝，生山谷。

苍颜老叟，玉女肩随。阴笼月逗，风卷云垂。

披衣结带，补屋搴帷。岁寒相保，千载心期。

僧法潜指松曰：此苍颜叟。《尔雅》“蒙玉女”注：女萝别名。《礼》：则肩随之。杜牧诗：昼阴笼近山。于鹄诗：深萝月不通。王融诗：因风卷复垂。《新论》：碧萝附于青松，以茂凌云之叶。刘删诗：学带非难结，为衣或易披。杜甫诗：牵萝补茅屋。又：高萝成帷幄。白居易诗：应能保岁寒。朱子诗：心期本自幽。

卫　矛

味苦，寒。主女子崩中，下血，腹满，汗出，除邪，杀鬼毒虫注。一名鬼箭。生山谷。

俨树屯防，日闲捍卫。丛植矛森，三棱羽缀。

香罨薪燔，苦调酥制。箭以神名，威能驱厉。

欧阳修文：历览亭障，屯防之要。《易》：日闲舆卫。李时珍曰：《释名》言齐人谓箭羽为卫，此物干有三羽，如箭羽矛刃自卫之状，故名。生山石间，小株成丛。寇宗奭曰：人家多燔之遣祟。雷敩论：凡使，用酥拌制。《广雅》：一名神箭。范成大诗：犹有余威可驱厉。

合　欢

味甘，平。主安五脏，利心志，令人欢乐无忧。久服轻身，明目，得所欲。生山谷。

植根庭畔，夏景长暄。游缨蘸晕，剪翠滋繁。

来欢蠲忿，迎昼合昏。有情多种，共宿双鸳。

吴师道诗：植根向庭畔。韩琦诗：况兹夏景长。袁桷诗：马嘶不动游缨耸。俗名马缨花。韩琦诗：红白开成蘸晕花。雍裕之诗：蝶犹迷剪翠。杜牧诗：柯叶自滋繁。《易林》：来欢致福。嵇康论：合欢蠲忿。《周礼》注：迎暑以昼，求诸阳。陈藏器曰：其叶至暮即合，故名合昏。《花史》：逊顿国有情树，亦昼开夜合。杜甫诗：合欢尚知时，鸳鸯不独宿。欧阳修词：双鸳池沼水溶溶。

白马茎

味咸，平。主伤中，脉绝，阴不起，强志，益气，长肌肉肥健，生子。眼主惊痫，腹满，疟疾，当杀用之。悬蹄主惊邪，瘈疭，乳难，辟恶气鬼毒，蛊注不祥。生平泽。

骨市千金，余亦汲引。力集强茎，春方游牝。

风入霜蹄，烛流镜眹。照夜银花，解衔脱纼。

黄庭坚诗：千金市骨今何有。沈约序：每存汲引。陈藏器曰：取银色无病白马，春月游牝时，力势正强者。杜甫诗：风入四蹄轻。又：霜蹄千里骏。梁简文帝序：眼含流烛。陈束赋：频两瞳之夹镜。《说文》：眹，目精也。《明皇杂录》：上所乘有照夜白。白居易诗：额缀银花尾曳丝。洪希文歌：脱纼解衔就茅屋。

鹿　茸

味甘，温。主漏下，恶血，寒热，惊痫，益气，强志，生齿，不老。角主恶疮，痈肿，逐邪恶气，留血在阴中。

角仙茸客，备物药笼。春萌茄紫，香染琼红。

折歧误马，戴异称龙。何缘解絷，养性从容。

《清异录》：华清宫鹿，人呼为角仙。《谈荟》：武宗十玩，鹿为茸客。《唐书·传》元行冲曰：愿以小人备一药石。狄仁杰曰：君正吾药笼中物。《埤雅》：鹿茸嫩者为茄子茸，珍其难得；坚者如红玉，至六十年必怀琼角下。《唐类函》：荆楚之地，其鹿似马，当解角时，望之无辨。《乾宁记》：鹿与游龙相戏，必生异角，则鹿得称龙。苏辙诗：何缘解缰絷。《埤雅》：鹿者仙兽，常自能乐性。

牛角鰓

下闭血，瘀血，疼痛，女人带下血。髓补中，填骨髓，久服增年。胆可丸药。

性炳纯离，弯环折角。筋粹骨余，风摧霜剥。

精结中坚，璞攻外铄。沥胆调涂，釜鸣蛙却。

李峤表：焕炳于纯离之畜。高启词：尔牛角弯环。《汉书·

传〈朱云〉》：折其角。李时珍曰：角者筋之粹，骨之余。鰓，又角之精也。石介颂：霜剥风裂。张衡赋：结精远游。《易林》：建心中坚。黄庭坚诗：攻璞愿良玉。《孟子》：非由外铄我也。《淮南子》：牛胆涂热釜即鸣。《岣嵝书》：蛙得牛胆则不鸣。

羖羊角

味咸，温。主青盲，明目，杀疥虫，止寒泄，辟恶鬼虎狼，止惊悸。久服安心，益气，轻身。生川谷。羖，牝羊也。

弗求童羖，濈濈思来。触藩奋抵，悬荚嫌猜。

假犀饰带，缩锡扬灰。橘绿迭对，漠北谁栽。

《诗笺》：俾出童羖，胁以无然之物。《诗》：尔羊来思，其角濈濈。《易》：羝羊触藩，羸其角。《埤雅》：羝性好触突，故从抵省。《南史》：江东谓羖羊角为皂荚。鲍照诗：不受外嫌猜。《益部方物略记》：龙羊角，黑质白文，以为带胯，其用乱犀。《丹房鉴源》：羖羊角灰缩贺。贺，锡也，出贺州。汉《铙歌》：当风扬其灰。杨允孚《杂咏》注“橘绿羊”：或四角，或六角，谓之迭角羊，其角相对。《辍耕录》：漠北种羊角，能产羊。贾岛诗：无穷草树昔谁栽。

牡狗阴茎

味咸，平。主伤中，阴痿不起，令强热大，生子，除女子带下十二疾。一名狗精。胆：主明目。

敝盖何须，东方烹狗。阴固刚中，阳生启后。

譬马春通，如牛风诱。照胆调浆，秋毫析剖。

《礼》：敝盖不弃，为埋狗也。又：烹狗于东方，祖阳气之发于东方也。张华诗：固阴寒节升。《易》：以刚中也。《春秋考异》：邮狗三月而生，阳生于三。《晋书·志》：永启厥后。

《周礼》注：中春通淫，合马之牝牡也。《左传》疏：风马牛者，牝牡相诱谓之风。庾信赋：照胆照心。《圣济总录》：上伏日采狗胆，酒服之，治目中脓水。《孟子》：明足以察秋毫之末。

羚羊角

味咸，寒。主明目，益气，起阴，去恶血注下，辟蛊毒，恶鬼不祥，安心气，常不厌寐。生川谷。

效奇西域，节角伸灵。痕蹙圆握，鸣集侧听。

摧牙缕解，击石冰零。智工悬木，防患宵暝。

张说表：效奇灵囿。《尔雅》疏：羚，大羊。今出建平宜都，诸蛮中及西域，有两角、一角者，角甚多节，蹙蹙圆绕。《晋书·载记》：龙以屈伸为灵。苏颂曰：节如人手指握痕。陈藏器曰：耳边听之，集集鸣者良。庾信赋：落角摧牙。《唐古今注记序》：冰涣缕解。《书》：予击石拊石。《寰宇志》：貘骨充佛牙，物不能破，以羚羊角击之即碎；金刚石百炼不消，羚羊角扣之即冰泮也。《埤雅》：羚羊夜则悬木角上，以防患也。

犀　角

味苦，寒。主百毒虫注，邪鬼障气，杀钩吻、鸩羽、蛇毒，除邪，不迷惑，厌寐。久服轻身。生山谷。

美著梁山，善蠲怒忿。理感天通，气涵星晕。

照水却尘，志寒解愠。珍饰腰垂，胡为粉紊。

《尔雅》：南方之美者，有梁山之犀。《杜阳编》：同昌公主有犀，带之令人蠲忿怒。《抱朴子》曰：通天犀有白理如线。《广州志》：世言犀望星而星入角。《晋书·传〈温峤〉》：过牛渚，然犀角照之，见水族。《述异记》：却尘犀置角于坐，尘埃不入。《开元遗事》：交趾国进辟寒犀，时方盛寒，温温有暖气。

《关尹子》：心忿者犹忘寒。《白孔六帖》：唐文宗延李训盛暑讲《易》，取辟暑犀置坐，飒然生凉。孔平仲诗：风为解愠清。苏轼诗：腰犀一一通。《归田录》：人气粉犀。

燕　屎

味辛，平。主蛊毒，鬼注，逐不祥邪气，破五癃，利小便。生平谷。

涎涎燕燕，飞啄差池。营巢泥带，哺乳花遗。

疟寒吸气，痓疢调脂。避知戊已，表瑞迎厘。涎，堂练切。

《汉书·志》童谣：燕燕尾涎涎，燕飞来，燕啄矢。《诗》：差池其羽。杜牧诗：何处营巢夏将半。刘兼诗：江畔春泥带雨衔。卢谌赋：铨先后而均哺。梁简文帝诗：衔花落北户。陈藏器曰：燕屎和酒，令人吸气，勿入口，厌疟寒疾。《名医》曰：和青羊脂丸治痓。《闻见后录》：燕营巢避戊己日。萧诠诗：表瑞玉筐中。

天鼠屎

味辛，寒。主面痈肿，皮肤洗洗时痛，肠中血气，破寒热积聚，除惊悸。一名鼠沄，一名石肝。生山谷。

鼠证飞仙，宵游昼掩。蚊蜹睛收，星砂肝敛。

幽洞培堆，空阶疏点。天厕星沉，效灵夕焰。

马志曰：一名飞鼠。苏恭曰：一名仙鼠。《拾遗记》：太液池傍，起宵游宫。司马相如赋：门阁昼掩。李时珍曰：其屎皆蚊蜹眼也。陶弘景曰：一名黑砂星。陈子昂诗：幽洞无留行。王安石诗：一株临路雪培堆。陆游诗：疏点空阶雨。《步天歌》：左足下四天厕临，厕下一物天屎沉。张衡赋：亦有天屎，质黄效灵。梁元帝诗：百枝凝夕焰。

猬 皮

味苦，平。主五痔，阴蚀，下血赤白，五色血汁不止，阴肿痛引腰背，酒煮杀之。生川谷。

豚蹄鼠迹，踡蹜森林。栗莍丛刺，芡裹簇针。

跳身虎避，仰腹鹊擒。睥睨蒙美，留豹同钦。

陶弘景曰：猬足似豚蹄者佳，鼠迹次之。李时珍曰：踡蹜则形如栗房、芡房。《埤雅》：栗有莍，猬自裹。苏辙诗：紫苞青刺攒猬毛。《晋书·传》时人语崔洪：丛生棘刺。《酉阳杂俎》：鬻刺者印上簇针。《汉书·传》：跳身遁者数矣。《淮南子》：猬使虎申。苏恭曰：猬恶鹊声，仰腹受啄。《淮南子》：天下之美人，若使之蒙猬皮，人莫不睥睨而掩鼻。《五代史·传》王彦章曰：豹死留皮。

露蜂房

味苦，平。主惊痫瘈疭，寒热邪气，癫疾，鬼精蛊毒，肠痔，火熬之良。一名蜂肠。生山谷。

育毒藏精，倒悬固圉。一寸楼台，四开门户。

偃月斜萦，抱香分贮。雀卵莫容，稷神托辅。

《魏志·传》管辂射覆：家室倒悬，藏精育毒，此蜂房也。《左传》：亦聊以固吾圉也。《元亭涉笔》：蜂房为一寸楼台。刘诜赋：千门万户，环向四开。又：斜萦偃月。温庭筠诗：蜂重抱香归。《淮南子》：蜂房不容雀卵。《韩诗外传》：稷蜂不螫，社鼠不熏，非以稷蜂、社鼠之神也，其所讬者然也，故圣人求贤者以自辅。

鳖 甲

味咸，平。主心腹癥瘕，坚积，寒热，去痞、息肉、阴蚀、痔、恶肉。生池泽。

浮津穹脊，慕臭纷纷。知希九肋，愿妄重裙。

形还沃苋，烟解驱蚊。鱼飞神守，擐甲策勋。

《埤雅》：鳖之所在，上有浮沫，名鳖津。《尔雅翼》：形圆而穹脊。皮日休纪：群小茸茸，如慕臭之鳖。《摭言》：沅江鳖甲，九肋者希。《五代史补》僧谦光曰：但愿得鳖长两重裙。《唐类函》：鳖甲包置湿地，以赤苋汁沃之，即化生。李时珍曰：烧烟薰蚊即化。《埤雅》：鱼满三百六十，龙即引飞出水，内鳖则鱼不复去，故一名神守。钟会文：擐甲厉兵。潘岳文：诔德策勋。

蟹

味咸，寒。主胸中邪气，热结痛，㖞僻，面肿。败漆烧之致鼠。生池泽。

集浪摇江，秋风乍起。耸卫双敖，横行八跪。

月孕金膏，霜酣丹髓。杯药分香，藏风忌柿。

《蟹谱》：济郓人，夜执火纷集水滨，谓之蟹浪；江侧对引两舟，施纲徐行，谓之摇江。江淹赋：乍秋风兮暂起。沈约歌：八神耸卫。《尔雅翼》：八足折而容俯，谓之跪；两敖倨而容仰，谓之敖。黄鲁直诗：怒目横行与虎争。罗氏曰：蟹腹虚实，应月盛衰。徐陵碑：金膏未熔。黄庭坚诗：想见霜脐当大嚼。《龙虎经》：丹髓流为汞。陆龟蒙诗：药杯应阻蟹敖香。李时珍曰：同柿食动风。

柞　蝉

味咸，寒。主小儿惊痫，夜啼，癫病，寒热。生杨柳上。

柳都美荫，蜕秽扬清。过枝音曳，抱叶身轻。

月斜露饱，风急秋惊。清高冠饰，乐召琴声。

陆龟蒙诗：全仗柳为都。《庄子》：蝉得美荫而忘其身。郭璞赞：潜蜕弃秽。曹植赋：惟夫蝉之清素兮。方干诗：蝉曳残声过别枝。贾岛诗：早蝉孤抱芳槐叶。沈鹏诗：依树愧身轻。《子夜歌》：斜月垂光照。罗隐诗：风栖露饱今如此。卢照邻诗：急响送秋风。《汉书·志》注：武冠侍臣附蝉为文者，取其清高。《后汉书·传》：有以酒食召蔡邕者，至门潜听客弹琴，曰：以乐召我而有杀心，何也？客曰：我向鼓弦，见螳螂方捕鸣蝉。

蛴　螬

味咸，微温。主恶血，血瘀痹气，破折血在胁下坚满痛，月闭，目中淫肤，青翳白膜。一名蟦蛴。生平泽。

不母而生，蟦蜰偻俯。湿郁根株，热蒸粪土。

变食还明，杂羹通乳。莫误蝤蛴，殊形柳腐。

李时珍曰：宋齐邱言“蛴螬不母而生”，久则羽化，其状如蚕，生树根及粪土中，皆湿热之气熏蒸而化；言蟦蜰者，其状肥也。《晋书·传》：中书郎盛冲母王氏失明，婢取蛴螬蒸熟与食，母目即开。陶弘景曰：同猪蹄作羹食，下乳汁。苏恭曰：一名蝤蛴，生腐柳中。韩保昇曰：以木中所生者为胜，生产既殊，主疗亦别。

乌贼鱼骨

味咸，微温。主女子漏下赤白经汁，血闭，阴蚀肿痛，寒热，癥瘕，无子。生池泽。

东游弃袋，海畔浮漂。化由鵅鸔，骨类螵蛸。

缆风须劲，噀墨腹消。纵横文辨，白胜英瑶。

陈藏器曰：海人云是秦王东游弃算袋于海所化。曹操《乐府》：流澌浮漂。苏颂曰：陶隐居言“此是鸔乌所化”。《尔雅》：鸲，乌鸔。李时珍曰：骨名海螵蛸，色白，脆。《尔雅》疏：螵蛸，螳螂卵也。日华子曰：鱼遇风波，即以两须下注粘石如缆，故名缆鱼。苏颂曰：鱼腹中有墨，能吸波噀墨，令水溷黑以自卫。雷敩论：沙鱼骨亦相似，文顺者真，横者假。《宋史·志》：有美英瑶。

白僵蚕

味咸。主小儿惊痫，夜啼，去三虫，灭黑皯，令人面色好，男子阴疡病。生平泽。

三起三眠，忽摧风扰。马首犹瞻，蛾眉罢扫。

茧室休营，丝肠自绕。汤镬辞烹，知几及早。

李时珍曰：蚕三起三眠，二十七日而化，病风死者，其色自白。荀卿赋：此夫身女好而头马首者与。《左传》：惟余马首是瞻。赵孟頫诗：蛾眉何娟娟。杜甫诗：淡扫蛾眉朝至尊。《埤雅》：蚕以茧自衣，亦谓之室。释惠洪歌：肺肠已作金丝光。《史记·传〈蔺相如〉》：请就汤镬。苏轼诗：不须更说知几早。

鮀鱼甲

味辛，微温。主心腹癥瘕，伏坚积聚，寒热，女子崩中，下血五色，小腹阴中相引痛，创疥，死肌。生池泽。

肖生十二，五色潜鮀。横飞冲岸，鼾睡盘涡。

更传砰磕，雨召滂沱。平鳞铲甲，敢肆么么。

《埤雅》：鮀身具十二生肖肉。《说文》：鮀，水虫，文五色，背毛皆有鳞甲。曹植启：耀江东之潜鮀。李时珍曰：性能横飞，不能上腾。杜甫诗：紫鳞冲岸跃。陈藏器曰：性嗜睡，恒闭目，力至猛，能攻江岸。唐彦谦诗：安寝正鼾睡。杨炯诗：

盘涡转深谷。《晋安海物记》：鮀宵鸣如桴鼓，江淮之间或谓之鮀更。袁桷诗：院吏传更写制时。潘岳赋：鼓鼙硡隐以砰磕。《尔雅翼》：鮀能吐雾致雨。《诗》：俾滂沱矣。庾信赋：平鳞铲甲。李时珍曰：老者善变妖魅。欧阳修诗：胆大身么么。

樗　鸡

味苦，平。主心腹邪气，阴痿，益精强志，生子，好色，补中，轻身。生川谷。

行列秋梢，寒蜇同候。时协鸡鸣，气含樗臭。

六足鳞差，双飞斑糅。莎羽樊中，声烦色陋。

《名医》曰：生河内樗树上，七月采。陶弘景曰：形似寒蜇而小。李时珍曰：其鸣以时，故以鸡名，此物六足重翼，翼灰黄有斑点，居樗树上，布列成行。苏颂曰：一名莎鸡，飞而振羽，索索有声，人或蓄之樊中。李时珍曰：莎鸡居草间，如蟋蟀之类，苏颂所引殊误。

蛞　蝓

味咸，寒。主贼风㖞僻，轶筋及脱肛，惊痫，挛缩。一名陵蠡。生池泽。

蜗螺寄壳，名假形殊。屈伸双角，洟涊单躯。

迹留涎滑，胎托腥污。毒虫局促，监脑嚼肤。

《说文》：附蠃背负壳者为蜗牛，无壳者曰蛞蝓。寇宗奭曰：蜗牛四角，蛞蝓二角，身肉只一段，毒虫行所过之路，触其涎即死。《博雅》：洟涊，垢浊也。《宋书·传〈王僧达〉》：单躯弱嗣。李时珍曰：俗名托胎虫。《铁围山丛谈》：峤南多蜈蚣，见托胎虫即局促不行，虫乃登其首，陷其脑。王孝籍书：毒螫嚼肤。

石龙子

味咸，寒。主五癃邪结气，破石淋下血，利小便、水道。一名蜥蜴。生山谷。

析易阴阳，荆山盈数。鱼跃浮交，蝉栖巧捕。

召雨含冰，兴云拥雾。从壁上观，守宫丹注。

《埤雅》：蜴善变易，有阴阳析易之义。《名医》曰：生荆州山石间。《抱朴子》：虺蜴盈数。《异物志》：鱼跳跃，蜥蜴从草中下，依近共浮水而相合。《古今注》：善于树上捕蝉食之。《卦爻名义》注：与龙通气，故可祈雨；与蛇同形，故能吐雹。《倦游杂录》：京师久旱，以瓮贮水，插柳枝，泛蜥蜴。小儿呼曰：蜥蜴蜥蜴，兴云吐雾。《说文》：在壁者曰堰蜓。《史记·纪》：诸将皆从壁上观。《博物志》：蜥蜴食以朱砂，体尽赤，捣点女人肢体，终身不灭，故曰守宫。

木　虻

味苦，平。主目赤痛，眦伤泪出，瘀血，血闭，寒热酸惭，无子。一名魂常。生川泽。

蚊为民害，虻亦甿愁。岭南雾集，塞北尘浮。

卷从木叶，化起溪流。蜩蝉形似，鼓翼鸣秋。

《埤雅》：蚊害民，故曰蚊；虻害甿，故曰虻。陈藏器曰：塞北亦有，岭南极多，从木叶中出，卷叶如子，形圆，着叶上，破之，初出如白蛆，渐大子化，折破便飞，即能啮物。扬雄文：雾集雨散。辛德源诗：扇举细尘浮。《酉阳杂俎》：南方溪涧中多水蛆，长寸余，色黑，夏末变为虻。苏恭曰：绿色如蜩蝉。李时珍曰：以翼鸣，其声虻虻。韩愈序：以虫鸣秋。

蜚　虻

味苦，微寒。主逐瘀血，破下血积，坚痞，癥瘕，寒热，通利血脉及九窍。生川谷。

蚕蛹生蛾，营飞逞快。饱饫血腥，猛同针虿。

毒化坚凝，苦攻瘀败。譬彼多藏，厚亡堪喟。

陈藏器曰：木虻是叶内者，蜚虻是已飞者，正如蚕蛹与蛾耳。梁武帝诗：黄鸟营飞时。陶弘景曰：啖牛马血，因其腹满，掩取干之。寇宗奭曰：大如蜜蜂，腹凹褊，微黄绿色。李时珍曰：虻食血而治血。成无已曰：血结不行者，以苦攻之。《老子》：多藏必厚亡。

蜚 廉

味咸，寒。主血瘀，癥坚，寒热，破积聚，喉咽痹，内寒无子。生川泽。

负盘腹赤，名美香娘。稻花朝采，姜味中藏。

寒逃屋角，飞爱灯光。中神保守，夷食称良。

苏恭曰：一名负盘。《名医》曰：腹下赤。李时珍曰：俗呼香娘子。《尔雅翼》：此物好以清旦食稻花，日出则散。陶弘景曰：有两三种，以作廉姜气者为真，本生草中，八、九月知寒，多逃入人家屋里。李时珍曰：两翅能飞，喜灯火光，其气甚臭。徐之才曰：立夏之先，蜚廉生为参苓使，主腹中七节，保神守中，西南夷食之，亦有谓也。

䗪 虫

味咸，寒。主心腹寒热洗洗，血积癥瘕，破坚，下血闭，生子大良。一名地鳖。生川泽。

墉壁湿生，含污渍涅。扬簸张箕，蹒跚跛鳖。

襁负儿嬉，街游壤别。牝牡灯蛾，妍媸媚悦。

《名医》曰：生沙中，及人家墙壁下，土中湿处。《拾遗记》：滞污渍涅，皆如新浣。寇宗奭曰：一名簸箕虫。《诗》：维南有箕，不可以簸扬。陶弘景曰：形扁如鳖，故名土鳖。《玉篇》：蹒跚，旋行貌。《荀子》：跛鳖千里。苏恭曰：无甲而有鳞，小儿多捕以负物为戏。《埤雅》：䗪逢申日则过街，故名过街。曹植赋：邦换壤别。李时珍曰：与灯蛾相牝牡。苏轼诗：妍媸本在君，我岂相媚悦。

伏　翼

味咸，平。主目瞑，明目，夜视有精光。久服令人喜乐，媚好无忧。一名蝙蝠。生山谷。

肉芝仙佚，饮乳浮银。倒飞垂脑，服气调神。

穴分鼠鸟，候变宵晨。漫推甲子，亦守庚申。

苏恭曰：仙经列为肉芝。《述异记》：千岁之后，体白如银，山洞有乳窟，饮汁而得长生。《参同契》：采浮银至宝于西方。《拾遗记》：岱舆山蝙蝠，有倒飞腹向天者，有脑重头垂者。寇宗奭曰：此善服气，冬月不食。唐明皇诗：芝桂欲调神。《正法念经》：譬如蝙蝠，入穴为鼠，出穴为鸟。《乌台诗案》：蝠以日入为旦，日出为夕。陶潜诗：淹留忘宵晨。《独异志》：明皇朝有张果老，不知岁数。道士叶静能曰：此混沌初分，白蝙蝠精变化。《自然论》：蝙蝠夜值庚申则伏。许浑诗：年长漫劳推甲子，夜深谁共守庚申。

梅　实

味酸，平。主下气，除热烦满，安心，肢体痛，偏枯不仁，死肌①，去青黑痣、恶疾。生川谷。

---

① 肌：原作“饥”，据文义改。

迎雨摇风，着枝叠累。捩齿津回，颦眉渴止。

脍兽多春，和羹具美。酸点百人，升盘桃李。

《风土记》：夏至前为迎梅雨。《风俗通》：五月为落梅风信。雷思霈诗：半点微酸已着枝。《汉书·传》：嘉瑞叠累。陆游诗：村醪捩齿酸。《峨眉山志》：累累梅实，可以回津。黄庭坚诗：北客未尝眉自颦。罗隐诗：曾与将军止渴来。《礼》：脍兽用梅。又：春多酸。《书》：若作和羹，尔为盐梅。《南史·传〈柳恽〉》：可谓具美。《淮南子》：百梅足以为百人酸。黄庭坚诗：得升桃李盘。

大豆黄卷　赤小豆

大豆黄卷味甘，平。主湿痹，筋挛，膝痛。生大豆涂痈肿，煮汁饮，杀鬼毒，止痛。赤小豆主下水，排痈肿脓血。生平泽。黄卷，豆蘗也。

吉睍壬癸，罨豆孚生。玉攒髯磔，冰脆牙萌。

粥分口数，算布心精。殊形慧辨，荚谷通名。

李时珍曰：壬癸日以井华水浸大豆，候生芽用。《诗》疏：既方既皂，谓孚甲始生。方岳诗：平明发视玉髯磔，一夜怒长堪冰茸。《田家五行》：煮赤豆粥，大小人口皆食之，谓之口数粥，以驱疫。《吴志·传〈赵达〉》：治九宫一算之术，取小豆数升，播席上，立处其数。《吴志·传〈顾谭〉》：心精体密。《左传》"周子有兄而无慧，不能辨菽麦"注：豆麦殊形易别。《群芳谱》：豆荚谷之总名也。

粟　米

味咸，微寒。主养肾气，去胃脾中热，益气。陈者味苦，主胃热消渴，利小便。

比德阳精，粱甘谷续。冠凤游龙，升金斗玉。

天雨书成，地藏兵足。一穗三千，新田绥福。

《管子》：粟可以比君子之德。《春秋说题辞》：米者阳精。李时珍曰：粱即粟也。《周礼》疏：犬宜粱者，味甘而微寒。《说文》：粟之为言续也，续于谷也。《拾遗记》：背明国有凤冠粟、游龙粟。《闽志》：唐时泉人客洛阳，为羽衣寄书，遗以粟米半升，还家视之，金粟也。李白诗：虽有数斗玉，不如一盘粟。《淮南子》：仓颉作书而天雨粟。《周礼》注：九谷俱藏，以粟为主。神农之教曰：带甲百万，无粟弗能守也，北方水土深厚，窖地而藏。《群芳谱》谚云："谷三千，一穗之实"，至三千颗，言多也。《易林》：新田宜粟，以绥百福。

黍　米

味甘，温。主益气补中，多热，令人烦。

精移火转，多黍丰蓄。新尝荐庙，春酿盈樽。

起钟率度，吹律回温。设桃雪贱，谷长宜尊。

《春秋说题辞》：精移火转生黍。《诗》：丰年多黍多稌。《礼》仲夏之月：天子以雏尝黍，先荐寝庙。《说文》：黍可为酒，从禾入水为意。曹邺诗：黑黍春来酿酒饮。《汉书·志》：度者本起黄钟之长，以子谷秬黍中者，一黍之广，度之九十分，黄钟之长。《列子》：邹衍在燕，吹律而温气，至今传名曰黍谷。《家语》：鲁哀公以黍雪桃。孔子曰：黍，五谷之长也，君子以贱雪贵，不闻以贵雪贱。

蓼　实

味辛，温。主明目，温中，耐风寒，下冰气，面目浮肿，痈疡。马蓼去肠中蛭虫，轻身。生川泽。

间白分红，垂珠穗密。辛佐盘陈，香濡腹实。

茎矗涂斑，叶标记墨。安故蠕虫，葵甘不食。

刘克庄诗：分红间白汀洲晚。梅尧臣诗：无香结珠穗。寇宗奭曰：春初以水浸湿，悬火上使暖，生红芽，备五辛盘。《礼》疏：濡豚包苦实，谓破其腹，实蓼于中。陶弘景曰：马蓼茎斑叶大。李时珍曰：每叶中间有黑迹如墨点，方士呼为墨记草。《楚辞芳草谱》：蓼虫不知徙乎葵菜，言蓼辛葵甘，虫各安其故，不知迁也。《易》：井渫不食。

葱实薤①

味辛，温。主明目，补中不足。其茎可作汤，主伤寒寒热，出汗中风，面目肿。薤味辛，温。主金创，创败，轻身，不饥，耐老。生平泽。

脂膏相润，切实醯柔。鹿胎白洁，龙角青浮。

强宗霆击，实政风流。金银蕴实，本末捐投。

《礼》：脂用葱，膏用薤。又：切葱若薤，实诸醯以柔之。李时珍曰：一名鹿胎葱。苏颂曰：一名龙角葱。《后汉书·传》庞参曰：拔大本薤者，欲吾击强宗也。蔡邕碑：讨恶如霆击。《晋书·传〈庾亮〉》：啖薤留白以种，陶侃叹曰：非惟风流，兼有为政之实。《酉阳杂俎》：山上有葱下有银，山上有薤下有金。《礼》：为君子择葱薤，则绝其本末。

水　苏

味辛，微温。主下气，辟口臭，去毒，辟恶。久服通神明，轻身，耐老。生池泽。

---

① 薤：此字原脱，据目录补。

似荏如苏，水滨漱齿。虚植方茎，丛生对节。

齿错参差，脑含辛烈。调饪烹鸡，葅苴名别。

李时珍曰：苏乃荏类，此草似苏，好生水旁，三月生苗，方茎中虚，色青，叶对节生。寇宗奭曰：叶槎牙如雁齿。吴瑞曰：俗呼龙脑薄荷。梅尧臣诗：羶腥失调饪。李时珍曰：其叶辛香，可以煮鸡，故名鸡苏。《名医》曰：一名芥葅，一名芥苴。

卷三　下经

下药为佐使，主治病以应地，多毒，不可久服，欲除寒热邪气、破积聚、愈疾者，本下经。

石　灰

味辛，温。主疽疡，疥搔，热气，恶创，癞疾，死肌，堕眉，杀痔虫，去黑子息肉。一名垩灰。生山谷。

灵根椎凿，煅灶薪炊。水蒸濡化，风散灵吹。

禁严度酿，涂解填肌。潜藏龙骨，历久探奇。

刘孝孙诗：高嶂接云根。《论衡》：以椎系凿。陶弘景曰：近山生青白石，作灶烧之。《晋书·传》荀勖曰：此是劳薪所炊。苏颂曰：又名石煅，有二种。风化者，置风中自解；水化者，以水沃之热蒸而解。扬雄文：从风濡化。王履诗：满山松树送灵吹。陶弘景曰：灰性至烈，以度酒饮，则腹痛下利。苏恭曰：疗疮生肌。李时珍曰：古墓中石灰，名地龙骨，尤佳。王维诗：探奇不觉远。

礜　石

味辛，大热。主寒热，鼠瘘，蚀创，死肌，风痹，腹中坚。一名青分石，一名立制石，一名固羊石。出山谷。

山讯皋涂，特生泽乳。朝饲肥蚕，夕陈毒鼠。

握雪寒凝，涵星光煦。文鹳营巢，求温庇处。

《山海经》：皋涂之山有白石焉，其名曰礜。李时珍曰：石有苍白二种，苍者多特生。吴普曰：一名泽乳。郭璞曰：蚕食则肥，鼠食则死。《丹房鉴源》：握雪礜石，盛寒时有髓。李时珍曰：石有金星、银星等名，俱是一物，但以形色立名。《容斋随笔》：文鹳伏卵，取石置巢中，以助温气。《列子》：避寒求温。高启词：庇处密固。

铅　丹

味辛，微寒。主上逆，胃反，惊痫，癫疾，除热，下气。炼化还成九光。久服通神明。生平泽。今名黄丹。

青金涩固，良冶销熔。分形点醋，还质披葱。

霜砒毒伏，汞釜泥封。盐砂决择，元液冲融。

《说文》：铅，青金也。王好古曰：涩可去脱而固气。寇宗奭曰：铅丹，化铅而成。《礼》：良冶之子。《丹房鉴源》：炒铅丹法，用土硫黄、消石，熔铅成汁，下醋点之，待为末则成丹；若转丹为铅，用葱白汁拌丹，煅成金汁，倾出即还铅矣。日华子曰：铅丹伏砒。陶弘景曰：涂丹釜所须。李时珍曰：凡用，须漂去消盐，飞去砂石。王珣文：方融元液。

粉锡　锡镜鼻

粉锡：味辛，寒。主伏尸，毒螫，杀三虫。一名解锡。锡镜鼻：主女子血闭癥瘕，伏肠，绝孕。生山谷。

铅质银光，生香和粉。糟瓮悬蒸，风炉扇紧。

裂鼻通精，照心开蕴。为贼为媒，救疴裁准。

《说文》注：银色而铅质也。庾信诗：和粉杂生香。《桂海虞衡志》：以黑铅着糟瓮中罨化之，谓之桂粉。李时珍曰：铅锡一类也，熔片安水甑内，盐泥固济，风炉安火封养，即成粉。姜质赋：裂鼻之芬。《子华子》：肺之精其窍上通于鼻。古镜铭：照心照胆保千春。元乐章：提纲开蕴。《土宿指南》：五金之中，独锡易制，失其药则为贼，得其药则为媒。梁简文帝论：救头痛之疴。裴度书：有所裁准。

代　赭

味苦，寒。主鬼注，贼风，蛊毒，杀精物恶鬼，腹中毒邪气，女子赤沃漏下。一名须丸。生山谷。

铁精上达，灌水流丹。祥凝牛角，泽润鸡冠。

罨金色莹，拭剑光寒。余粮并产，牡蛎诞谩。

《管子》：山上有赭，其下有铁。《山海经》：石脆之山，灌水出焉，中有流赭。注：今人以涂牛角，云辟恶。《名医》曰：色如鸡冠，有泽者良。崔昉曰：代赭，阳石也，罨金色益赤。张华：以之试剑，色益精明，与太乙余粮并生山峡中。苏颂曰：真者难得，以左顾牡蛎代使。《九章》：或诞谩而不疑。

戎盐　大盐　卤盐

戎盐：主明目，目痛，益气，坚肌骨，去毒蛊。大盐：令人吐。卤盐：味苦，寒。主大热，消渴，狂烦，除邪及下蛊毒，柔肌肤。生池泽。

天产醎鹾，希踪明洁。凝树饴甘，留潮石结。

煮海飞霜，吹薰散雪。金鼎羹调，和梅就列。

《礼》：煮盐之尚贵天产也。又：盐曰醎鹾。陆云赋：清和明洁，群动希踪。《唐书·传》：黑水靺鞨，有盐泉，气蒸薄，盐凝树颠。李时珍曰：饴盐生于戎地，味甘美。李当之曰：戎盐是海潮浇山石，经久凝着石上者。《急就篇》注：夙沙氏煮海为盐。张融赋：飞霜暑路。虞舜歌：南风之薰兮。曹植启：离若散雪。苏颂曰：解州池盐，得南风则宿夕成。王安石诗：金鼎重调盐。阎伯玙赋：可以和梅羹之调鼎。

白垩

味苦，温。主女子寒热，癥瘕，目闭①，积聚。生山谷。

垩分五色，白善称材。浣衣雪洁，漫鼻风摧。

缋开粉本，瓷重陶坯。蚩尤战罢，山聚余灰。

苏颂曰：垩有五色，入药惟白者耳。《名医》曰：一名白善土。《管子》注：称材，材称其用也。寇宗奭曰：京师人用以浣衣。《庄子》：郢人垩漫其鼻，匠石运斤成风，尽垩而鼻不伤。陶弘景曰：即今画家用者。苏轼诗：粉本遗墨开明窗。李时珍曰：用烧白瓷器坯者。周文璞诗：雕镌若陶坯。《拾遗记》：黄帝除蚩尤，聚骨如岳，数年后骨白如灰，故有白垩之山。

冬灰

味辛，微温。主黑子，去疣，息肉，疽蚀，疥搔。一名藜灰。生川泽。

炉拨三冬，寒灰沉质。火荻辉扬，燃藜烟密。

涗水沤丝，吹莩缇室。心地澄然，酒杯淋溢。

杜甫诗：蛰龙三冬卧。鲍照诗：寒灰灭更燃。寇宗奭曰：冬灰经三四月方撤炉，其灰力燥体重。《抱朴子》：火荻数千束，因猛风而燔之。陆云诗：厥辉愈扬。《汉书·传〈刘向〉》：校书天禄阁，有老人植青藜杖，吹杖端烟然。陶弘景曰：诸蒿藜积聚炼作之，性烈，荻灰尤烈。《周礼》注：涗水沤丝，以灰所泲水也。《后汉书·志》：候气之法，布缇缦室中，每律各一，以葭莩灰抑其内端，气至者灰去。李山甫诗：心地澄然一聚灰。苏轼诗：赵子饮酒如淋灰，一年十万八千杯。

---

① 目闭：《本草纲目》、尚志钧《神农本草经校注》作“月闭”。

青琅玕

味辛，平。主身痒，火创，痈伤，疥搔，死肌。一名石珠。生平泽。

美珍西北，气感阴阳。红浮铁网，青耀昆冈。

珠非川媚，玉讶渊藏。献分楚宝，礼重东方。

《尔雅》：西北之美者，有昆仑墟之璆琳琅玕。《庚辛玉册》：生南海崖石内，自然感阴阳之气而成。苏颂曰：取珊瑚，先作铁网沉水底，贯中而生琅玕，明莹若珠之色，而状森植。《列子》：珠玕之树丛生。李时珍曰：生于水者为珊瑚，生于山者为琅玕，可碾为珠，故得珠名。陆机赋：水怀珠而川媚。《庄子》：藏珠于渊。《唐书·志》：楚州献宝玉十三，八曰琅玕珠。《周礼》：以青圭礼东方。

附　子

味辛，温。主风寒咳逆，邪气，温中，金创，破癥坚积聚，血瘕，寒热痿躄，拘挛，膝痛不能行步。生山谷。

附母旁萌，严冬盈积。蹲坐形端，乳垂甄摘。

力薄缩拳，侧生连脉。畏恶猬多，祷神祈获。

韩保昇曰：乌头旁如芋散生者为附子。陶弘景曰：冬月采。杨天惠记：附子之形，以蹲坐正节角少为上，有节多鼠乳者次之，七月采者，谓之旱水，拳缩而小，是未成者。又，附而上者为侧子，皆脉络连贯。此物畏恶猬，多不能常熟，园人将采，常祷于神。

乌　头

味辛，温。主中风，恶风洗洗，出汗，除寒湿痹，咳逆上气，破积聚，寒热。其汁煎之名射罔，杀禽兽。一名奚毒，一名即子，一名乌喙。生山谷。今草乌头。

如饴咏堇，头喙分名。橐藏毒用，箭傅锋迎。

谗姬寘肉，奇士扬觥。法穷酿造，不事锄耕。

陈藏器曰：一名堇。《诗》：堇荼如饴。吴普曰：形如乌之头，有两歧相合，如乌之喙，是附子角之大者。《淮南子》曰：天下之物，莫凶于鸡毒，良医橐而藏之，有所用也。陶弘景曰：捣汁傅箭，射禽兽十步即倒。汪机曰：锋锐捷利。《国语》：骊姬寘堇于肉。《明皇十七事》上谓力士曰：吾闻饮堇汁不死者，乃奇士也。以汁进张果，饮进二卮，醇然如醉。李时珍曰：根苗花实，与川乌头同，此系野生，无酿造之法。杨天惠记：附子之田，岁以善田，一再耕之。

天　雄

味辛，温。主大风，寒湿痹，历节痛，拘挛缓急，破积聚，邪气，金创，强筋骨，轻身，健行。一名白幕。生山谷。

朋附称雄，易资独托。盈握尖锥，丰脐络幕。

象眼形微，鸡肠勇跃。忌见离群，如蚕僵箔。

刘禹锡表：实无朋附。李时珍曰：种附子，变出其形，长而不生子，故曰天雄，长而尖者，谓之天锥，入药须有象眼者良。其脐乃向上生苗处。杨天惠记：以丰实盈握者胜。《释名》：幕络也。《淮南子》注：取天雄纳雄鸡肠中捣食之，令人勇。陈承曰：蜀人种附子忌生，此如养蚕而或白僵之意。《礼》：离群而索居。

半　夏

味辛，平。主伤寒寒热，心下坚，下气，喉咽肿痛，头眩，胸胀，咳逆，肠鸣，止汗。一名地文，一名水玉。生川谷。

候生夏半，水玉明涵。白芍圆上，绿竹隅三。

芥消涎滑，姜瀹咀甘。火风寒湿，饼曲详谙。

李时珍曰：《月令》五月半夏生，当夏之半也，水玉以形名。杜甫诗：明涵客衣静。吴普曰：白华圆上。苏颂曰：生江南者，花似白芍药，茎端三叶浅绿色，似竹叶。《论语》：不以三隅反。雷敩论：用白芥子末，浸汤洗去涎滑。陶弘景曰：须用生姜以制其毒。韩维诗：插芳咀甘不知去。白飞霞曰：治风痰、火痰、湿痰、寒痰。李时珍曰：洗去皮垢，浸七日，或和作饼，或造为曲。贾岛诗：星名未详谙。

虎 掌

味苦，温。主心痛，寒热，结气，积聚，伏梁，伤筋痿，拘缓，利水道。生山谷。今名天南星。

布地荑科，萌生毒卉。翘企蛇头，细抽鼠尾。

圆掌威伸，繁星光炜。由跋根新，体孱才菲。

谢灵运赋：散叶荑科。《国语》：逆节萌生。柳宗元记：嘉葩毒卉。苏颂曰：初生作穗直上如鼠尾，花似蛇头，结子自落布地，一子生一窠。苏恭曰：根似扁柿，四畔有圆牙，看如虎掌。傅咸表：威风得伸。庾阐诗：繁星如散锦。李时珍曰：虎掌因叶形似之，非根也，南星因根圆白，形如老人星状，故名由跋；是南星之新根，其气未足，不堪服食。梁萧赋：才菲而体孱。

鸢 尾

味苦，平。主蛊毒，邪气，鬼注诸毒，破癥瘕积聚，去水，下三虫。生山谷。

乌鸢于止，挟势如飞。碧分尾断，黄裹头垂。

殖区修短，壤异硗肥。纷敷花色，强别从违。

吴普曰：一名乌鸢。《大学》：于止知其所止。《诗》：如飞如翰。苏恭曰：阔短不抽长茎，花紫碧色，根皮黄，肉白。《左传》：雄鸡自断其尾。韩保昇曰：草名鸢尾，根名鸢头。李时珍曰：此即射干之苗，非别种也，肥地者，茎长根粗，瘠地者，茎短根瘦，其花自有数色，诸家皆是强分耳。

大　黄

味苦，寒。主下瘀，血闭，寒热，破癥瘕，积聚，留饮、宿食，荡涤肠胃，推陈致新，通利水谷道，调中化食，安利五脏。生山谷。

色美黄良，西羌东蜀。牛舌伸舒，羊蹄蹢躅。

斑紧波旋，紫铺锦缛。剑戟中心，顽坚凌触。

李时珍曰：一名黄良。苏恭曰：西羌蜀地者佳。白居易诗：东蜀殊欢渥。苏颂曰：作紧片如牛舌形。苏恭曰：根红者，似宿羊蹄。雷敩论：凡使，细切，以文如水旋，斑紧重者良。《益部方物略记》：紫地锦文为最。范成大诗：中有将军剑戟心。《云笈七签》：遇物凌触。

葶　苈

味辛，寒。主癥瘕积聚，结气，饮食寒热，破坚。一名大室，一名大适。生平泽及田野。

朋侪靡草，亭室何须。黍粒黄细，荠荚青粗。

异根歧角，别植长须。种分甘苦，酸味休渝。

《礼》注：靡草，荠、葶苈之属。苏颂曰：春生苗叶，高六七寸，似荠；枝茎俱青，结角，子扁小如黍粒，微长，黄色；又有一种狗芥草，叶近根下作歧，生角细长，取时必须分别。

《周礼》注：荚物，荠荚之属。雷敩论：凡使，勿用赤须子，真相似。寇宗奭曰：有甜、苦二种，《经》言味辛甜者，不当入药，治体以行水走泄为用，《药性论》不当言味酸。

桔　梗

味辛，微温。主胸胁痛如刀刺，腹满，肠鸣幽幽，惊恐悸气。生山谷。

沮泽庸求，有无心摄。关内葵根，嵩高杏叶。

梗直疏通，蜜甘调燮。承载功同，巨川舟楫。

《战国策》：求桔梗于沮泽，则累世不得一焉。苏恭曰：桔梗、荠苨，叶有差互者，有三四对者，皆一茎直上，惟以根有心为别耳。苏颂曰：关中所出，根黄皮似蜀葵，叶如菊。《群芳谱》：生嵩高山谷及冤句，根如指大，叶似杏叶。李时珍曰：此草之根，结实而梗直，故名。《名医》曰：甘草，一名蜜甘。张元素曰：为肺部引经，与甘草同行，譬如铁石入江，非舟楫不载，诸药有此一味，不能下沉也。

莨菪子

味苦，寒。主齿痛出虫，肉痹拘急，使人健行，见鬼，多食令人狂走。久服轻身，走及奔马，强志，益力，通神。一名横唐。生川谷。

逐邪藏毒，放宕习闻。含苞罂贮，散粟房分。

驰追蹀躞，胎乳絪缊。饮和国老，解瞀销棼。

陈藏器曰：取子暴干，空腹水下，能除邪逐风，勿令子破，令人发狂。李时珍曰：服之令人狂浪放宕，故名。苏颂曰：壳作罂子状，如小石榴，房中子至细，青白色，如粟米粒。《篇海》：蹀躞，马行貌。《六书故》：嗜进，连步貌。《易》：天地细缊。《史记》：王美人怀子，久而不乳。淳于意饮以莨菪药一撮，旋乳。张仲景曰：水莨菪误食令人狂乱，以甘草汁解之。《庄子》：饮人以和。《名医》曰：甘草，一名国老。

草　蒿

味苦，寒。主疥搔痂痒，恶创，杀虱，留热在骨间，明目。一名青蒿，一名方溃。生川泽。

气早春阳，三秋余力。松桧香邻，蓬藜群植。

美咏鹿鸣，臭含犼息。庚伏元辰，悬庭充食。

李时珍曰：青蒿得春木少阳之气最早。《梦溪笔谈》：此蒿深青如松桧之色，深秋余蒿并黄，此蒿犹青。《礼》：藜莠蓬蒿并兴。《诗》：呦呦鹿鸣，食野之蒿。韩保昇曰：其气息似犼臭，故名犼蒿。《月令通纂》：伏内庚日，采青蒿悬于门庭辟邪，冬至元旦为末服，亦良。

旋覆花

味咸，温。主结气，胁下满，惊悸，除水，去五脏间寒热，补中下气。一名金沸草，一名戴椹。生川谷。

菊黄柳绿，善盗庚先。旋回罗叠，覆下钱圆。

金垂滴滴，水近溅溅。香芬鼻观，目忌延缘。

苏颂曰：叶似柳，根细，六月开花如菊，深黄色。《尔雅》：蕧，盗庚。李时珍曰：庚者，金也，夏开黄花，盗窃金气也。寇宗奭曰：花圆而覆下，故名旋覆。《群芳谱》：一名叠罗金。李时珍曰：花形如金钱菊，水泽边生，俗传露水滴下即生，故名滴滴金。赵孟頫诗：妙香清鼻观。《酉阳杂俎》：李卫公言嗅其花能损目。《庄子》：延缘苇间。

藜　芦

味辛，寒。主蛊毒，咳逆，泄利，肠澼，头疡，疥搔，恶创，杀诸蛊毒，去死肌。一名葱苒。生山谷。

大叶微根，相连节短。藜裹棕心，白憨葱管。

景仰山高，迟回水缓。吐嚏交通，顿驱风瘴。

吴普曰：大叶小根相连。李时珍曰：黑色曰藜芦，裹黑皮，故名，根际似葱，俗名葱管藜芦，北人谓之憨葱。苏颂曰：初生苗叶似棕心，又似葱白。此有二种，生高山者为佳，一种水藜芦，生溪涧石上，不中药用。凡使，服钱许，则恶吐；又能通顶，令人嚏。李时珍曰：吐风痰者也。

钩　吻

味辛，温。主金创，乳痓，中恶风，咳逆上气，水肿，杀鬼注蛊毒。一名野葛。生山谷。

预储蕹汁，救扑炎炀。箭喷裂吻，蔓绕屠肠。

避栖飞鸟，饱饫肥羊。黄精益寿，美恶分详。

陈藏器曰：蕹菜捣汁，解野葛毒。李时珍曰：滇人谓之火把花，言其性热如火。东方朔文：吹天火之炎炀。吴普曰：赤茎如箭。苏恭曰：蔓生与白花藤相类。苏舜钦诗：獠工裂吻燥。《战国策》：聂政抉目屠肠。陶弘景曰：钩人喉吻，牵挽人肠。《五符经》言：飞鸟不得集。苏恭曰：羊食其苗大肥，物有相伏如此。《博物志》：人信钩吻杀人，不信黄精益寿，不亦惑乎。李时珍曰：此以二草美恶对待而言，陶氏、雷氏、韩氏言相似者，误。

射　干

味苦，平。主咳逆上气，喉痹咽痛，不得消息，散急气，腹中邪逆，食饮大热。一名乌扇，一名乌蒲。生川谷。

竹节姜根，庭台夏遍。紫蝶斜飞，乌蒲低扇。

缘木身轻，临城竿缘。异兽乔柯，同名角炫。

《土宿指南》：一名扁竹叶，如侧手掌形，根亦如之。日华子曰：根形似高良姜，五、六、七月采。陶弘景曰：人家庭台多种之。李时珍曰：今人所种，多是紫花者，呼为紫蝴蝶，其叶丛生，横铺如乌翅及扇之状。陈藏器曰：射干之名有三，此是草名。《佛经》：射干貂獄是恶兽，能缘木。阮公诗云：射干临层城，是树殊高大。苏颂曰：别有射干，茎梗疏长，正如射人长竿状，此不入药。舒元舆赋：角炫红缸。

蛇　合

味苦，微寒。主惊痫，寒热邪气，除热，金创，疽，痔，鼠瘘，恶疮，头疡。一名蛇衔。生山谷。合当作含。

高冈湿隰，细叶黄花。青含蛇口，紫折龙牙。

伤连断指，恶剪积瘢。涩酸竟命，知时灭瑕。

苏颂曰：生土石上或下湿地。陶弘景曰：用细叶有黄花者。李时珍曰：根名女青，叶似龙牙而小，背紫色。《异苑》：昔有田父，见一蛇被伤，一蛇含此草着疮上，经日蛇愈。《抱朴子》：蛇衔膏连已断之指。《直指方》：研傅身面恶癣，根断。雷敩论：勿用有蘖尖叶者，号竟命草，其味涩酸，令人吐血，速服知时子可解。《淮南子》：抑微灭瑕。

恒　山

味苦，寒。主伤寒寒热，热发，温疟，鬼毒，胸中痰结，吐逆。一名互草。生山谷。今名常山。

药以山名，俨尊北岳。横节圆茎，白花青萼。

就燥阳晞，流湿阴浊。鸡骨浮黄，功专已疟。

李时珍曰：恒山乃北岳名，岂此药始产于此欤？苏恭曰：

茎圆有节，二月生，白花青萼，其草暴燥，色青白堪用，若遇阴，便黑烂郁坏。《易》：水流湿，火就燥。陶弘景曰：细实黄者，谓之鸡骨，用之最胜。苏颂曰：此药为治疟之最要者。

蜀　漆

味辛，平。主疟及咳逆寒热，腹中癥坚，痞结，积聚，邪气，蛊毒，鬼注。生川谷。即恒山苗。

漆何望蜀，互草新苗。转丸萦结，倾酒醇调。

蛊驱毒解，瘴御氛消。蜜香凉沁，甘饮相招。

《后汉书·传》敕岑彭曰：既平陇，复望蜀。陶弘景曰：采得常山苗，萦结作丸，得时燥者佳。雷敩论：以酒浸一宿，暴干用。李时珍曰：岭南瘴气，寒热所感，邪在营卫，欲除根本，非此药不可。苏颂曰：天台有一种土常山苗，味甘，人用为饮，又名蜜香草，性凉益人，非此苗也。

甘　遂

味苦，寒。主大腹疝瘕，腹满，面目浮肿，留饮宿食，破癥坚积聚，利水谷道。一名主田。生川谷。

白体赤肤，名甘汁毒。节逐珠连，圆旋指掬。

结散心胸，涂周脐腹。相反相成，道通水谷。

苏颂曰：苗短小而叶有汁，根皮赤肉白，作连珠，大如指头。张元素曰：此泄水之圣药，水结胸中，非此不除，但有毒不可轻用。李时珍曰：张仲景治心下留饮，与甘草同用。《保命集》：凡水肿未消者，以甘遂末涂腹绕脐，服甘草水即消。王璆曰：一切肿毒，傅甘遂末，饮甘草汁即愈，二物相反，而感应如此。

白　蔹

味苦，平。主痈肿，疽疮，散结气，止痛，除热，目中赤，小儿惊痫，温疟，女子阴中肿痛。一名兔核，一名白草。生山谷。

干同芷白，喜杂林芜。枝端五叶，藤蔓多株。

狡藏兔核，信应鸡孚。遏痫敛溃，质赤何殊。

陶弘景曰：根如白芷。《说文》注：初生根干为芷。李白诗：林壑久已芜。苏恭曰：蔓生，枝端有五叶，一株下有十许根。刘迎诗：人思狡兔藏三窟。《说文》注：卵孚也，如期不失信也。苏颂曰：生苗多在林中，根如鸡卵而长，三五枚同窠。又一种赤敛，花实功用皆同，但表里俱赤耳。

青葙子

味苦，微寒。主邪气，皮肤中热，风搔身痒，杀三虫。子名草决明，疗唇口青。一名草蒿，一名萋蒿。生平谷。

邻接胡麻，葙蘘音诡。高耸鸡冠，尖垂兔尾。

雁过秋红，桃霏夏紫。披决光明，昭昭觉视。

李时珍曰：此草多生于胡麻地中，胡麻叶亦名青蘘，音相近，岂以其相似而然耶，花叶似鸡冠，苗似苋，故谓之鸡冠苋，梢间出花，穗尖长如鼠尾。又一种名雁来红，其叶九月鲜红，望之如花，故名。陈藏器曰：又一种名桃朱术，花紫，五月五日，妇人收子带之，为夫所爱。《急就篇》：刃端可以披决。《淮南子》：觉视于昭昭之宇。

雚　菌

味咸，平。主心痛，温中，去长虫，白癣，蛲虫，蛇螫毒，癥瘕，诸虫。一名雚芦。生池泽。

深秋丛苇，过雨繁钉。轻虚酥脆，表里光荧。

攻蛔羹臛，御虺尘腥。桑菰竹蓐，和美同馨。

李时珍曰：雚当作萑，芦苇之属，此菌生于其下，故名。韩保昇曰：秋雨以时即有。汪藻诗：累累万钉繁。苏恭曰：其菌色白轻虚，表里相似。杨万里诗：酥茎娇脆手轻拾。《外台秘要》：蛔虫攻心，羊肉臛和食之，效。李质赋：极惊蛇而走虺。元好问诗：闹嫌人迹带尘腥。潘之恒谱：埋桑木于土中，浇以米汁生菰；竹蓐，生朽竹根节，得溽湿之气而成。《吕氏春秋》：和之美者，越骆之菌。

白　及

味苦，平。主痈肿，恶创，败疽，疡阴[①]，死肌，胃中邪气，贼风鬼击，痱缓不收。一名甘根，一名连及草。生川谷。

科苗独茎，根偏连及。舌吐红尖，脐凝白汁。

菱角歧分，螺纹旋密。阳中之阴，秋金收翕。

李时珍曰：其根白色，连及而生，但一科止抽一茎，开花紫红色，中心如舌；其根如菱角，有脐，如凫茈之脐，又如扁螺旋纹，性涩而收，得秋金之令。李杲曰：此阳中之阴也。

大　戟

味苦，寒。主蛊毒，十二水，肿满急痛，积聚，中风，皮肤疼痛，吐逆。一名邛钜。

俨森列戟，锋畏喉搘。凝浆中注，直干高充。

披绵藏颖，攒紫摇溶。附生宣泄，荠苨消融。

《左传》：富父终甥搘其喉以戈。李时珍曰：其根辛苦，戟人咽喉，故名；生平泽甚多，直茎高二三尺，中空，折之有白浆；杭州紫大戟为上，北方绵大戟，根皮柔韧，甚峻利。范成

① 疡阴：《本草纲目》、尚志钧《神农本草经校注》作“伤阴”。

大诗：山头云气尚披绵。骆宾王序：藏颖重岩。谢朓诗：发萼初攒紫。李商隐诗：黄河摇溶天上来。王好古曰：此为泻水之药，湿胜者苦燥除之也。雷敩论：凡使，勿用附生者，误服令人泄气，即煎荠苨汤解之。

泽　漆

味苦，微寒。主皮肤热，大腹水气，四肢面目浮肿，丈夫阴气不足。生川泽。

科独枝分，柔茎茂接。白骨白浆，绿花绿叶。

凤采辉翔，猫睛朗捷。制乳伏砂，益阴鬯浃。

李时珍曰：一科分枝成丛，柔茎如马齿苋，有白汁黏人，其根白色，有硬骨。《土宿指南》：一名绿叶绿花草，一名五凤草，一名猫儿眼睛草。李时珍曰：茎头凡五叶，中分中抽，小茎五枝，复有小叶承之，齐整如一，故名五凤叶，圆而黄绿，颇似猫睛，五月采汁，伏钟乳，结丹砂，利丈夫阴气。杨嗣复序：鬯浃于幽遐。

茵　芋

味苦，温。主五脏邪气，心腹寒热羸瘦如疟状，发作有时，诸关节风湿痹痛。生川谷。

莞蒲茵蓐，比类差参。细萌银荞，密荫石楠。

赤涂霞暎，白碎星含。解搜风痫，顿换春酣。

《名医》曰：一名莞草。《诗笺》：小蒲之席也。《汉书·传》：车茵，蓐也。韩愈诗：应对多差参。陶弘景曰：茎叶状银荞草而细软。日华子曰：形似石楠树叶。苏颂曰：春生苗高三四尺，茎赤，夏四月开细白花。李时珍曰：古人治风痫妙品，今人罕知。朱子诗：莫将寒苦换春酣。

贯 众

味苦，微寒。主腹中邪热气，诸毒，杀三虫。一名贯节，一名贯渠，一名百头，一名虎卷，一名扁符。生山谷。

水曲山阴，暑寒独适。中贯连卷，旁生滋益。

翘尾摩翎，攒头伏脊。煮豆疗饥，嚃羹通嗌。

李时珍曰：多生山阴近水处，其根一本而众枝贯之。吴普曰：贯中冬夏不凋，黑聚相连，卷旁行生。苏颂曰：叶绿色，似鸡翎，又名凤尾草。陶弘景曰：毛芒金似老鸱头。韩保昇曰：苗似狗脊。郭璞赞：翘尾翻飞。王履诗：金仙已跨摩云翎。元好问诗：攒头争似与春争。乔宇记：俯首伏脊。黄庭坚书：荒年以贯众煮黑豆，日啖五七粒，能食百草木枝叶，有味可饱。《礼》：毋嚃羹。王璆曰：有食鱼羹，为骨所鲠，饮贯众浓汁而消。

荛 花

味苦，平寒。主伤寒，温疟，下十二水，破积聚，大坚，癥瘕，荡涤肠胃中留癖，饮食寒热邪气，利水道。生川谷。

小株丛簇，花茁繁饶。鲜荣黄湿，燥曝白飘。

桃僵李代，芫毒名淆。雍州土沃，冈岭倾翘。

李时珍曰：小株，花成簇生，荛者，饶也，其花繁饶也，生时色黄，干则色白；或言无荛花，以桃花代之，取其利耳。古乐府：李树代桃僵。陶弘景曰：形似芫花，而极细。韩保昇曰：以雍州者为上，生冈原上，苗高二尺许。王融颂：葵藿微志徒倾翘。

牙 子

味苦，寒。主邪气，热气，疥搔，恶疡创，痔，去白虫。

一名狼牙。生川谷。

拟状蛇藨，因时分选。春夏叶舒，秋冬根卷。

啮猛贪狼，喙森噬犬。腐湿生衣，吹咀删剪。

韩保昇曰：苗似蛇莓而厚大。汪机曰：蛇莓，一名蛇藨。杨炎曰：治虫疮，六月以前采叶，以后用根，生吹咀。《千金方》：射工中人，冬取根，夏取叶，捣汁饮。《名医》曰：一名狼齿，一名狼子，中湿腐烂生衣者杀人。吴普曰：一名犬牙。吕温状：删剪奇邪。

羊踯躅

味辛，温。主贼风在皮肤中淫淫痛，温疟，恶毒，诸痹。生川谷。

玉枝春盎，遍埜纷黄。猛方说虎，击独惊羊。

瓜花五出，桃叶分张。映山锦绣，别照红妆。

《名医》曰：一名玉枝，三月采花。苏恭曰：似旋花色黄。李时珍曰：一名老虎花，一名惊羊。《古今注》：羊见之则踯躅分散。韩保昇曰：花似瓜花五出，叶似桃叶。苏颂曰：岭南蜀道遍生，深红色，如锦绣然。李时珍曰：红者山踯躅，一名映山红，与此别类。江总诗：初日照红妆。

商　陆

味辛，平。主水胀，疝瘕，痹，熨除痈肿，杀鬼精物。一名募根，一名夜呼。生川谷。

夬夬占爻，刚柔贯综。事鬼焉能，象人而用。

杂鲤汤烹，摘蔬畦种。赤目摧筋，功难决壅。

《易》疏：苋陆夬夬，刚上柔下也。王肃曰：苋陆，一名商陆。何承天书：贯综幽明。《论语》：焉能事鬼。苏恭曰：赤者能见鬼神。《孟子》：为其象人而用之也。《名医》曰：如人形者有神。陶弘景曰：切根杂鲤鱼煮汤，疗水肿。李时珍曰：昔人以为蔬，取白根及紫色者，劈破作畦栽之。雷敩论：一种赤目，苗叶相类，伤筋骨，不可服。陈嘉谟曰：疗水贴肿，其效如神。《中论》：决壅导滞。

羊　蹄

味苦，寒。主头秃，疥搔，除热，女子阴蚀。一名东方宿，一名连虫陆，一名鬼目。生川泽。

野行采蓫，黄赤盈蹊。秋冬心茂，花叶颜齐。

牛舒长舌，羊奋歧蹄。洁瑜制汞，炼士能稽。

《诗》：我行其野，言采其蓫。《诗》疏：蓫，牛蘈，今之羊蹄也。李时珍曰：根长近尺，赤黄色，入夏起薹，花叶一色，夏至即枯，秋深即生，凌冬不死，叶长尺余，似牛舌之形。寇宗奭曰：叶可洁治瑜石，子名金荞麦，烧炼家用以制汞。

萹　蓄

味辛，平。主浸淫，疥搔，疽，痔，杀三虫。生山谷。

扁蔓绵延，道周细洁。藜植赤茎，麦含粉节。

饵误研丹，灰犹炼雪。呷醋童婴，顿苏蛔啮。

吴普曰：一名扁蔓。韦应物诗：绵延稼盈畴。《新论》：好行细洁。《尔雅》注：似小藜，赤茎节，好生道旁。苏颂曰：苗似瞿麦。李时珍曰：节间有粉，方士呼为粉节草，烧灰炼霜用。孟诜曰：服丹石冲眼者，捣汁服之；小儿蛔咬心[①]，醋煎空心服。

---

① 心：《食疗本草》作“心痛”。

狼 毒

味辛，平。主咳逆上气，破积聚饮食，寒热水气，恶创，鼠瘘，疽蚀，鬼精，蛊毒，杀飞虫走兽。一名续毒。生山谷。

六陈举一，九种心平。衡量重实，芟夷浮轻。

饮昏食餮，兽怪禽惊。防葵滥厕，闾茹缠萦。

马志曰：此与麻黄、橘皮、半夏、枳实、吴茱萸为六陈也。《孟子》：举一而废百也。《和剂局方》：治九种心痛，一虫，二疰，三风，四悸，五食，六饮，七冷，八热，九气。《名医》曰：陈而沉水者良。韩保昇曰：根轻浮者劣。王续诗：此日长昏饮。《玉篇》：餮，贪食也。唐太宗诗：怖兽潜幽壑，惊禽散碧空。苏颂曰：今人用枯朽狼毒当防葵，大误。李时珍曰：闾茹如续随子之状，或以其根为狼毒者，非是。

白头翁

味苦，温。主温疟，狂易[①]，寒热，癥瘕积聚，瘿气，逐邪，止痛，疗金创。一名野丈人，一名胡王使者。生山谷。

陌上行行，俨逢群叟。紫注药颜，皓盈蓬首。

摩顶怜儿，免身赠妇。百节嘘和，遐不黄耇。

应璩诗：古有行道人，陌上见三叟。陶弘景曰：近根有白茸，状似白头老翁，故名。苏颂曰：根紫色深如蔓菁。黄滔诗：微红见药颜。朱子诗：兴来乱插飞蓬首。《孟子》：摩顶放踵而为之。张籍诗：身老特怜儿。葛洪曰：治小儿秃疮。《史记·世家》：赵朔妇，免身生男，秦嘉有《赠妇诗》。张仲景曰：治妇人产后痢虚。甄权曰：治百节骨痛。宋祁序：嘘和吐妍。《诗》：

① 易：《太平御览》作“昜”。

遐不黄耇。寇宗奭曰：新安山中，卖白头翁丸，言服之寿考。

鬼　臼

味辛，温。主杀蛊毒，鬼注，精物，辟恶气不祥，逐邪，解百毒。一名爵犀，一名马目毒公，一名九臼。生山谷。

羞寒自蔽，八角灵奇。面青背赤，东向西垂。

繁星侧比，巨眼斜窥。琼田芝熟，三臼忘饥。

《益都方物略记》：根茎缀花蔽叶，自隐名为羞寒花。李时珍曰：丹炉家采根制汞，其叶八角者最灵。高启诗：灵奇务穷搜。《丹房鉴源》：茎端生叶，面青背赤。苏颂曰：一叶如伞，旦时东向，及暮则西倾，随日出没也，根如南星，八九枚侧比相叠。陶弘景曰：根白处如马眼而柔润。《山谷诗注》：玉芝，一名琼田草，即鬼臼，煮面皮，裹一臼吞之，数日不饥，啖三臼可辟谷也。

羊　桃

味苦，寒。主熛热，身暴赤色，风水，积聚，恶疡，除小儿热。一名鬼桃，一名羊肠。生川谷。

苌楚纤柔，弱依林莽。细麦风摇，夭桃春荡。

水漾滑涎，陆铺平掌。具酿熛汤，搯磨疴痒。

陶弘景曰：山野多有。《诗》"隰有苌楚"即此。《诗》疏：其枝茎弱，过一尺引蔓于树上。《尔雅》注：子如小麦，亦似桃形。韩保昇曰：花叶皆似桃。李时珍曰：其条浸水有滑涎，叶大如掌。陈藏器曰：根浸酒，治风热。苏恭曰：煮汁洗风痒效。黄庭坚诗：搯磨疴痒风助威。

女　青

味辛，平。主蛊毒，逐邪恶气，杀鬼，温疟，辟不祥。一名雀瓢。

青殊萝藦，是草非藤。苗经蛇啮，根亦龙腾。

饮难瓢贮，系合囊承。蠲疴攘秽，福禄胥膺。藦，莫卧切。

《名医》曰：蛇含根也。李时珍曰：女青有二，一是藤生，似萝藦者；一是草生，即蛇含根也。又有大小二种，小者是蛇衔，用苗茎，叶大者为龙衔，用根。苏恭曰：子似瓢形，大如枣许。葛洪曰：捣女青末三角，绛囊盛之，正月上寅日悬帐中，吉。陶弘景曰：带此一两，则疫疠不犯。郝经诗：荡攘邪秽蠲祆痾。陆云诗：福禄是膺。

连　翘

味苦，平。主寒热，鼠瘘，瘰疬，痈肿，恶创，瘿瘤，结热，蛊毒。一名异翘，一名兰华，一名轵，一名三廉。生山谷。

小大翘分，形藏阖捭。榆叶狭长，莲房中解。

热散心凉，声通耳聩。芬馥含仁，脱茎潇洒。

苏恭曰：此有两种，大翘生下湿地，小翘生冈原之上，长安惟用大翘子。《鬼谷子》：乃可捭，乃可阖。苏颂曰：青叶狭长如榆叶，结实似莲，内作房瓣，剖之则中解，其实才干，振之皆落，不着茎也。甄权曰：除心家客热。王好古曰：治耳聋浑浑焞焞。李时珍曰：其中有仁甚香。

闾　茹

味辛，寒。主蚀恶肉，败创，死肌，杀疥虫，排脓恶血，除大风热气，善忘不乐。生川谷。

茹根牵引，色尚黄匀。金浆漆汁，青颗白仁。

博闻强记，静卧安身。能痊马疥，飞鞚惊尘。

《范子计然》云：出武都，黄色者善。陶弘景曰：初断时汁出凝黑如漆。李时珍曰：本作芦蘽，其根牵引之貌，破之有黄浆，结实如豆大，生青熟黑，中有白仁。《礼》：博闻强记而让。陶弘景文：可以安身静卧。寇宗奭曰：治马疥尤善。虞集歌：飞鞍惊尘遍南陌。

乌韭

味甘，寒。主皮肤往来寒热，利小肠膀胱气。生山谷石上。

漠漠斑斑，石苔薰发。青羃毛衣，翠披卷发。

养爱云阴，纹添雨歇。屋溜飘游，幽情超越。

白居易诗：漠漠斑斑石上苔。《临川志》：薰发而起。陈藏器曰：生大石及木阴处，青翠茸茸。日华子曰：一名石衣。苏恭曰：一名石发。苏子卿诗：丹水浴毛衣。《诗》：卷发如虿。苏轼诗：昨日云阴重。李白诗：野凉疏雨歇。李时珍曰：乌韭是瓦松之生于石上者，与垣衣、屋游同类。崔融赋：瓦松产于屋溜之上。钱起诗：幽步更超越。

鹿藿

味苦，平。主蛊毒，女子腰腹痛，不乐，肠痈，瘰疬，疡气。生山谷。

混生麦陇，名共葛苗。蔓纷淮豌，荚缬蜀椒。

黄香气润，粉紫风飘。喜招鹿饲，漫具烹调。

陶弘景曰：葛苗，一名鹿藿。苏恭曰：苗似豌豆，而引蔓长。《农书》：豌豆大者，名淮豆。豌，音剜。《尔雅》注：叶似大豆，蔓延生根，黄而香。李时珍曰：多生麦地，三月开淡粉紫花，结小荚，其子大如椒子，黑色，生熟皆可食。豆叶曰藿，鹿喜食之，故名。陆游诗：豉香盐白自烹调。

蚤休

味苦，微寒。主惊痫，摇头弄舌，热气在腹中，癫疾，痈创，阴蚀，下三虫，去蛇毒。一名蚩休。生川谷。

如转河车，休哉蚤捷。七叶一枝，重台三叠。

掌运趺承，头昂舌贴。气朗天清，长生陈馔。

苏颂曰：一名紫河车。李时珍曰：虫蛇之毒，治之即休，故有此名。陈嘉谟曰：一名七叶一枝花。苏恭曰：一名重台，叶有二三层者。日华子曰：治胎风，手足搐掣。《服食经》：紫河车根切块，水煮风干，每服三丸，五更初，面东致祝，连进三服，即能休粮。祝辞曰：天朗气清金鸡鸣，吾今服药欲长生。

石长生

味咸，微寒。主寒热恶创，火热，辟恶气不祥，鬼毒。一名丹草。生山谷。

石有时泐，草独长留。色逾桧泽，地傍蕨柔。

丹沙名异，元漆光浮。鯰筋细紫，药物何求。

《周礼》：石有时以泐。《益部方物记》：长生草生山阴，蕨地修茎，茸叶色似桧而泽，经冬不凋。李时珍曰：一名丹沙草。陶弘景曰：叶似蕨而细如龙须，黑如光漆。苏恭曰：市人以莽筋草为之，茎细劲紫色。杜甫诗：多病所须惟药物，微躯此外更何求。

陆　英

味苦，寒。主骨间诸痹，四肢拘挛疼酸，膝寒痛，阴痿，短气不足，脚肿。生川谷。

蒴藋敷华，萧秋启候。五叶缠枝，百枚贮豆。

水节清肥，木心虚秀。粲兮三英，骨风效奏。

苏恭曰：此即蒴藋也，古方惟言陆英，后人不识耳。苏颂曰：《尔雅》荣而不实，谓之英，此物英名，当是其花。《名医》云：宜秋采，正是其花时也。李时珍曰：每枝有五叶。寇宗奭曰：子初青，如绿豆颗，每朵如盏而大，生一二百子。苏恭曰：此叶似芹及接骨花，三物亦同类，芹名水英，接骨名木英树，此三英也；水英根叶肥大，主治骨风；木英体轻虚无心，续筋骨，除风痹。《诗》：三英粲兮。

荩 草

味苦，平。主久咳上气喘逆，久寒惊悸，痂疥，白秃疡气，杀皮肤小虫。生川谷。

王刍贡草，忠荩名垂。掬盈绿采，染变金姿。

服垂盭绶，谷访青衣。莎呼鸱脚，竹误猗猗。

《尔雅》：菉，王刍。李时珍曰：古者贡草入染人，故谓之王刍，而尽忠者，谓之荩臣也。《诗》“终朝采绿，不盈一掬”即此，草本绿色，可染黄。《名医》曰：染作金色。《汉书》注“诸侯盭绶”：盭草似艾可染，因以名绶。苏恭曰：生青衣川谷，青衣县在益州西。掌禹锡曰：即菉蓐草也，今呼为鸱脚莎，《诗》云“绿竹猗猗”是也。《资暇集》：绿竹，王刍也，今为辞赋皆引“猗猗”入竹事，大误。

牛 扁

味苦，微寒。主身皮创热气，可作浴汤。杀牛虱、小虫，又疗牛病。生川谷。

芮堇形同，平芜扁毒。扪虱爬搔，牵牛觳觫。

细捣油涂，含温汤沐。建草赤茎，水中短竹。

苏恭曰：此药似堇草、石龙芮辈，生平泽，或名扁毒。欧阳修文：不足爬搔于虮虱。《孟子》：有牵牛而过堂下者。又：吾不忍其觳觫。苏颂曰：其根苗捣末，油调杀虮虱。陈藏器曰：

虱建草茎赤，治虮虱虫疮。又：水竹，叶生水中，叶如竹而短，亦去虮虱。

夏枯草

味苦、辛。寒热，瘰疬鼠瘘，头疮，破癥，散瘿结气，脚肿湿痹，轻身。一名夕句，一名乃东。生川谷。

方茎对节，铁色非污。三冬孳茂，九夏摧枯。

理通阳复，气感阴徂。臭郁茺蔚，荣悴潜符。

李时珍曰：其茎微方，叶对节生，一名铁色草。苏恭曰：冬至后生叶，三、四月开花作穗，五月便枯。梁元帝《纂要》：冬曰三冬，夏曰九夏。《晋书·志》：阳气生而孳茂。柳宗元牒：力易摧枯。胡震亨曰：此草禀纯阳之气，得阴气则枯，臭郁草，即茺蔚也，两物俱入夏即枯，夏枯先枯而无子，臭郁后枯而结子。《五灯会元》：潜符蜜证。

芫　花

味辛，温。主咳逆上气，喉鸣喘，咽肿，短气，蛊毒，鬼疟，疝瘕，痈肿，杀虫鱼。一名去水。生川谷。

去水功收，毒亦滋厚。白沃星榆，青毵风柳。

撷趁春先，蓄宜岁久。薄醉游鱼，花开秋后。

《左传》：以厚其毒。《名医》曰：一名毒鱼。苏颂曰：根入土深三五寸，白色似榆根，春生苗，叶小而尖，似杨柳枝叶，二月开紫花。刘宪诗：官树似星榆。袁凯诗：雨蒲风柳自纷然。韩保昇曰：叶未生时，采花晒干，叶生花落，即不堪用。李时珍曰：留数年陈久者良。又有醉鱼草，七、八月开花成穗，红紫色，俨如芫花，渔人采以毒鱼，色状气味与芫花同，但花开时不同为异耳。

巴　豆

味辛，温。主伤寒，温疟，寒热，破癥瘕，结聚坚积，留饮，痰癖，大腹水胀，荡练五脏六腑，开通闭塞，利水谷道，去恶肉，除鬼毒蛊注邪物，杀虫鱼。一名巴叔①。生川谷。

如菽如豆，蜀栈凌云。棱尖雄辨，细紧雌分。

房开双瓣，线起纵纹。疗牛肥鼠，物性偏欣。

李时珍曰：此物出巴蜀，形如菽豆，故名，有棱及两头尖者是雄，紧小者是雌，用之得宜，皆有功效。苏颂曰：木高一二丈，五、六月结实作房，一房有二瓣，或一子或三子。戎州出者壳上有纵纹，隐起如线，一道至二三道。《牛经》：巴豆研油灌之，疗牛疫。陶弘景曰：鼠食之肥，物性相耐如此。

蜀　椒

味辛，温。主邪气咳逆，温中，逐骨节皮肤死肌，寒湿痹痛，下气。久服之头不白，身轻，增年。生川谷。

使者含丸，馨香下抑。叶叠滑坚，枝森刺棘。

浮艳衣红，摇光瞳黑。一合一开，茂州嘉植。

《清异录》：一名含丸使者。《服椒诀》：其气馨香，其性下行。苏颂曰：本似茱萸而小，有针刺，叶坚而滑。寇宗奭曰：凡用蜀椒，去里面黄壳，取红用。李时珍曰：其子光黑，如人之瞳子，他椒不似之。《四川志》：各州俱有，以茂州出者为佳，其壳一开一合者最妙。孟郊诗：嘉植鲜危柯。

皂　荚

味辛、咸，温。主风痹，死肌，邪气，风头泪出，利九窍，

---

① 巴叔：《新修本草》、尚志钧《神农本草经校注》作“巴椒”，《本草纲目》《太平御览》作“巴菽”。

杀精物。生川谷。

长垂脂厚，短具牙形。铁封蕃茂，篾束飘零。

熏烟溽散，调酒风停。苍鳞百岁，去垢常青。

李时珍曰：一种长而肥厚多脂，一种小如猪牙，不结实者，树凿一孔，入生铁三五斤，泥封之即结实，其树多刺，难以上采，以篾束之，一夜自落。寇宗奭曰：溽暑久雨，合苍术烧烟辟邪疫。《简要方》：中风口噤，温酒调服少许。张耒诗：不缘去垢须青荚，自爱苍鳞百岁根。

柳 花

味苦，寒。主风水，黄疸，面热黑。一名柳絮。叶主马疥痂创。实主溃痈，逐脓血。子汁疗渴。生川泽。

濯濯依依，荑生春坻。黄拂鳞皴，白沾绒洗。

日照垂缨，风吹掷米。爱想当年，甘棠泽比。

刘诜诗：杨柳濯濯弄轻阴。《诗》：杨柳依依。《夏小正》：正月柳稊传。稊者，发孚也。《群芳谱》：初生稊寸余，开黄花，鳞起稊上，甚细碎，渐次生叶，长成，花中结细子，如粟米大，细扁而黑，上带白絮如绒，随风飞舞。薛能诗：条绿似垂缨，离筵日照轻。陆游诗：复似麻姑行掷米。《南史·传》：杨柳风流可爱，似张绪当年时。《南齐书·传〈王敬则〉》：于北馆种杨柳，虞长耀曰：北人以为甘棠。

楝 实

味苦，寒。主温疾，伤寒大热烦狂，杀三虫，疥疡，利小便水道。生山谷。

低昂红紫，花信风周。金铃摇曳，珠弹轻柔。

资供雏食，善种雌求。区分肉核，性不相谋。

韩愈诗：红紫相低昂。《岁时记》：花信风，始梅花，终楝花。李时珍曰：实名金铃子。孟浩然诗：王孙挟珠弹。苏颂曰：三、四月开花红紫色，实如弹丸。《南史·传》：凡所资供，一无所受。《农书》：鹓雏食其实。《净住子》：能生善种。《诗》：尚求其雌。苏恭曰：雌雄二种，雌者有子。雷敩论：凡使肉不使核，使核不使肉。《论语》：道不同不相为谋。

郁李仁

味酸，平。主大腹水肿，面、目、四肢浮肿，利小便水道。根主齿断肿、龋齿、坚齿。一名爵李。生川谷。

白白朱朱，香繁条软。微扇风和，晴烘日暖。

蜜清核香，汤温根短。不受肥汙，爰宜洁盥。

赵抃诗：朱朱白白缀繁枝。白居易诗：香繁条软弱。陶潜诗：春风扇微和。周翰诗：晴烘始空。《花史》：性喜暖日和风，浇用清水，以性洁故也。雷敩论：核仁去皮尖，用生蜜浸一宿，研膏用之。日华子曰：根治小儿身热，作汤浴之。《公羊传》注：洁白而不受污。《金史·志》：爰洁其盥。

莽　草

味辛，温。主风头，痈肿，乳痈，疝瘕，除结气，疥搔，杀虫鱼。生山谷。

性工迷罔，椒臭堪憎。茁空花实，蔓绕萝藤。

黠藏鼠礫，毒肆虫殑。攻薰剪氏，蠹物胥惩。

陶弘景曰：莽，本作茵。李时珍曰：食之令人迷罔，故名，山人以之毒鼠，又谓之鼠莽。寇宗爽曰：揉之其臭如椒。苏颂曰：若石楠，而叶稀无花实，一说藤生，绕石木间，既谓之草，藤生者是也。《周礼》：剪氏掌除蠹物，以攻禜攻之，以莽草薰之。

雷　丸

味苦，寒。主杀三虫，逐毒气，胃中热，利丈夫，不利女子。作摩膏，除小儿百病。生山谷。

苓寓松根，丸藏竹坞。击岂闻雷，添还过雨。

疏利宜男，堤防近女。稚子分甘，累累膏乳。

李时珍曰：竹之余气所结，犹松根之茯苓，霹雳击物，精气所化，此物生土中，杀虫逐邪，犹之雷斧雷楔也。苏辙诗：过雨时添好子孙。马志曰：疏利男子元气，不疏利女子脏气。曹植颂：草号宜男。《国语》：是谓远男而近女。杜甫诗：笋根稚子无人见。洪炎诗：分甘须剩斸。苏轼诗：累累似桃李，一一流膏乳。

桐　叶

味苦，寒。主恶蚀创着阴。皮主五痔，杀三虫。花主傅猪创，饲猪肥大三倍。生山谷。

土宜五沃，拱把嘉桐。朝阳合抱，参极空中。

凉琼夏荫，濡毳冬融。令仪君子，瑞应厢东。

《管子》：五沃之土，其木宜桐。《孟子》：拱把之桐梓。夏侯湛赋：植嘉桐乎庭前。《诗》：于彼朝阳。陈翥诗：合抱由滋此。嵇康赋：参辰极而高骧。《易纬》：桐枝空中。高启诗：凉琼夏叶舒。徐茂诗：濡毳桐枝别作葩。《广州志》：白桐花有白毳，淹渍缉织为布。《诗》：其桐其椅，其实离离。岂弟君子，莫不令仪。《瑞应图》：王者任用贤良，梧桐生于东厢。

梓白皮

味苦，寒。主热，去三虫。叶捣傅猪创，饲猪肥大三倍。

生山谷。

楸茂赤章，梓疏白理。内拱尊王，长生著美。

牧豢猪肥，伐奇牛徙。顺孝孙曾，敬恭乡里。

《诗》疏：楸之疏理白色而生子者为梓。李时珍曰：赤者为楸，木理白者为梓。《尔雅翼》：植于林，诸木皆内拱。《埤雅》：梓木为木王，礼斗威仪，君乘火而王，其政和平，梓为长生。王绩诗：间田且牧猪。《元中记》：终南山有梓树，秦文公伐之，中有青牛，逐之入沣水。《杂五行书》：舍四种梓楸各五根，子孙顺孝。黄庭坚赞：以福孙曾。《诗》：维桑与梓，必恭敬止。

石　南

味辛，苦。主养肾气，内伤阴衰，利筋骨皮毛。实杀蛊毒，破积聚，逐风痹。一名鬼吕①。生山谷。

清溪文石，耸翼倾妍。叶苞花孕，花散叶迁。

染斑雨渍，笼旭阴圆。别传交让，饵想夫怜。

胡汾诗：本自清溪石上生。《汉书·志》注：砀山出文石。孟郊诗：耸异敷庭际，倾妍来坐隅。寇宗奭曰：冬有二叶，为花苞，苞既开，中有十五余花，花才罢，旧叶全脱，渐生新叶。苏颂曰：叶青黄色，有紫斑，雨多则并生，阴翳可爱，不透日气。吴宽诗：别种为交让。《名医》曰：女子不可久服，令思男。杨维桢诗：犹唱想夫怜。

黄　环

味苦，平。主蛊毒，鬼注，鬼魅，邪气在脏中，除咳逆寒

---

① 鬼吕：《本草纲目》作“鬼目”，作小字，标在石南实之下，未注明文献出处。

热。一名凌泉，一名大就。生山谷。

西蜀生刍，汁黄苗赤。蟠曲藤缠，樛累葛绤。

旋转环圆，纵文辐圻。狼跋鱼浮，临渊坐获。

《名医》曰：生蜀郡山谷。吴普曰：一名生刍，生苗正赤，叶有汁黄白，根黄色。苏恭曰：今园庭亦种之，作藤生，大者根径六七寸，根亦葛类，花实与葛同。《格物总论》：藤附大木，蟠曲而上。《诗》：南有樛木，葛藟累之。李时珍曰：叶黄而圆，故名。吴普曰：根黄色，纵理如车辐解。陶弘景曰：子名狼跋，捣以杂木，投水中，鱼皆浮出。《汉书·传》：临渊羡鱼。《仪礼》：获者坐而获。

溲　疏

味辛，寒。主身皮肤中热，除邪气，止遗溺。可作浴汤。生山谷及田野，故邱墟地。

异称巨骨，附寄荒墟。双双对待，节节空疏。

刺猜枸杞，荚判杨栌。三薰三浴，冰雪肌肤。

《名医》曰：一名巨骨。张望诗：荒墟人迹稀。苏恭曰：其子八、九月熟，必两两相对。张宪诗：万古晨昏常对待。李当之曰：一名空疏，皮白中空，时时有节。马志曰：溲疏、枸杞相似，溲疏有刺，枸杞无刺。苏恭曰：杨栌一名空疏，其子有荚。《名医》曰：除胃中热，可作浴汤。《国语》：三薰三浴之。《庄子》：肌肤若冰雪。

鼠　李

主寒热，瘰疬创。生田野。

缔构乌巢，缘林鼠咽。周角条垂，畸零枝恋。

紫蓄浆浓，绿凝染练。楰梓名同，北山偏擅。

苏颂曰：即乌巢子也。高启诗：林惊缘树鼠。寇宗奭曰：子于条上四边生，生青熟紫，至秋叶落，子尚在枝。李时珍曰：其实附枝如穗，人采其嫩者，取汁染成绿色。《名医》曰：一名鼠梓。《说文》：楰，鼠梓。《诗》：北山有楰。李时珍曰：苦楸一名鼠梓，与此不同。

药实根

味辛，温。主邪气，诸痹疼酸，续绝伤，补骨髓。一名连木。生山谷。

药纷诸子，木以连名。花同春发，实独秋成。

绝者复续，亏以求盈。既消蛊疰，亦解蛇萦。

《汉书·志》：诸子之言，纷然淆乱。苏颂曰：黄药子出岭南，秦州出者红药子，施州出者赤药子，七月开白花。苏恭曰：开州出苦药子，皆相类。李时珍曰：药实子虽似黄药、苦药，微有不同，二药子不结子，此则树之子也。《礼记》疏：断者不可续。《论衡》：不嫌亏以求盈。苏恭曰：除蛊疰蛇毒。

栾　华

味苦，寒。主目痛泪出，伤眦，消目肿。生川谷。

作树以栾，染人涚沤。荣槿青桠，乔槐黄覆。

笼聚浮泡，丸圆倾豆。通利华精，重明曚瞀。

《广韵》：作树以栾。《周礼》：以涚水沤其丝。苏恭曰：五月、六月收花，染黄色甚鲜明，叶似木槿，花黄似槐，壳似酸浆，实如豌豆，圆黑坚硬。《宋书·志》：雨水方降木槿荣。《尔雅》：槐棘丑乔。李时珍曰：酸浆，一名灯笼草，一名天泡草。《拾遗记》：背明国有倾离豆，叶垂覆地。《黄庭经》：通利华精调阴阳。华精，目精也。韩愈诗：泪目苦曚瞀。

蔓椒

味苦，温。主风寒湿痹，疬节疼，除四肢厥气，膝痛。一名家椒。生川谷及邱冢间。

樛亦椒似，刺罥人衣。豢闻说彘，俗听呼豨。

临风蔓弱，含露丛依。气蒸汤浴，汗雨频挥。

陶弘景曰：俗呼为樛子，似椒而小。裴迪诗：丹刺罥人衣。李时珍曰：此椒气如豕，故有彘椒、豨椒诸名，枝软如蔓，其子丛生。《庄子》祝宗人说彘曰：吾将三月豢汝。《汉乐府》：妃呼豨。《尔雅》疏：郁气谓郁蒸之气也。《礼》：燀汤请浴。《国语》：挥汗成雨。陶弘景曰：可以蒸病出汗。

豚卵

味苦，温。主惊痫，癫疾，鬼注，蛊毒，除寒热，贲豚，五癃，邪气挛缩。一名豚颠。悬蹄：主五痔，伏热在肠，肠痈，内蚀。

豢息么豮，采收下体。祭设冬先，纳从咸比。

操酒穰穰，涉波弥弥。豚踠分施，百骸湔洗。

《说文》：豕，息也，豢以谷。《尔雅》注：最后生者，呼为么豚。李时珍曰：牡猪小者，多犗去卵。《易》释文：豕去势曰豮。《诗》：无以下体。《礼》：孟冬之月，祭先肾。《保生要录》：咸纳肾。《千金方》：除阴痉中痛。《史记·传》：淳于髡见穰田者，操一豚蹄，酒一盂，祝曰：穰穰满家。《诗》：烝涉波矣。又：河水弥弥。宋濂序：雕肝琢肾。周邦彦赋：或踠蹄而折蹯。徐积诗：五脏孰云可湔洗，百骸终恐生虫窠。

麋脂

味辛，温。主痈肿，恶创，死肌，寒风湿痹，四肢拘缓不收，风头肿气通腠理。一名官脂。生山谷。

麋游泽畯，喜听音操。性迷群牝，体蓄凝膏。

轻冰凉散，活火研熬。机心久谢，自润嬉敖。

《后汉书·志》注：麋十千为群，掘食草根，其处成泥，名曰麋畯。《埤雅》：麋喜音声。《白虎通德论》：麋为兽迷惑。陶弘景曰：麋一牡辄交十余牝，其脂堕地。《水经注》：凝膏下垂，望齐冰雪。韦充赋：暗断轻冰。《周礼》注：夏献麋，麋膏散，散则凉。陆游诗：活火生新焰。《齐民要术》：啖炙肥者细研熬之。杜甫诗：机心忘已久，何事惊麋鹿。《后汉书·传〈孔奋〉》：身处脂膏，不能以自润。苏轼诗：脱略万事惟嬉敖。

鸓　鼠[①]

主堕胎，令人产易。生平谷。

俨说胎禽，高居下赴。翼蝠身狐，耳麋首兔。

鸣杂宵更，飞携乳哺。感气相催，回睛目注。

《宋史·志》：传兹胎禽。《尔雅》注：能从高赴下，不能从下上高，状如小狐，似蝙蝠，肉翅。《山海经》注：一名耳鼠，麋耳兔首。李时珍曰：喜夜鸣。《说文》：言飞走，且乳之鸟，又名飞生。寝其皮，怀其爪，皆能催生，食之不眛，可御百毒。枣据诗：回睛盼曲阿。韩偓诗：南尽远目注。

六畜毛蹄甲

味咸，平。主鬼注，蛊毒，寒热，惊痫，癫痓，狂走。骆驼毛尤良。

六畜遂字，四体分施。附肤燎坠，剔腹益姿。

---

① 鸓鼠：今指小飞鼠。古与鼯鼠不分。

圆歧蹄辨，攫裂甲披。明驼温缛，避暑毛吹。

《汉书·传》：六畜遂字。《孟子》：施于四体。《燕书》：贾坚弯弓射牛于百步之外，附肤落毛。柳玭文：覆坠之易如燎毛。《抱朴子》：剔腹背无益之毛。虞裕文：乾阳也，故马蹄圆。《淮南子》：牛歧蹄而戴角。《宋书·传》：熊罴厉爪蓄攫裂之心。《酉阳杂俎》：明驼千里足，多误作鸣字。《埤雅》：驼毛缛温厚，夏退毛尽，乃能避热。韩愈诗：吁无吹毛刃。

虾 蟆

味辛，寒。主邪气，破癥坚血，痈肿，阴创，服之不患热病。生池泽。

拖紫纡青，池泓阁阁。礼掌焚灰，仙传窃药。

食鹧身痊，背芝光烁。五日良储，辟兵祛疟。

卞彬赋：纡青拖紫。石介诗：数尺流水满池泓。洪驹父诗：阁阁已在兹。《周礼》：蝈氏掌去蛙黾，焚牡菊以灰洒之。张衡文：羿请不死之药于西王母，嫦娥窃之以奔月，是为蟾蜍。《投荒杂录》：南方水族，状如蛙，食之味美如鹧鸪，治虚劳。《道书》：蟾蜍万世，背生芝草为世瑞。《抱朴子》：肉芝者万岁蟾蜍，五月五日午时取之，阴干带于身，辟五兵。《物类相感志》：五月五日收虾蟆治疟。苏轼诗：争储百药良。张咏诗：剧谈夜祛疟。

马 刀

味辛，微寒。主漏下赤白，寒热破石淋，杀禽兽贼鼠。生池泽。即齐蛤。

喧捞泥浦，巧类刀裁。夜侵灯影，寒孕珠胎。

琼研粉细，紫吐唇开。短长狭正，众体兼该。

元稹诗：泥浦喧捞蛤。苏颂曰：多生沙泥中。张蠙诗：夜蚌侵灯影。《埤雅》：蚌孚乳以秋，其孕珠若怀妊然，谓之珠胎。苏恭曰：壳炼粉得火良。孔平仲诗：报君以淮南紫唇之蛤。李时珍曰：其形像刀，其类甚多，长短斜正，性味功用皆同。傅咸赋：体该众妙。

蛇　蜕

味咸，平。主小儿百二十种惊痫，瘈疭，癫疾，寒热，肠痔，虫毒，蛇痫。火熬之良。一名龙子衣，一名蛇符，一名龙子单衣，一名弓皮。生川谷及田野。

似之而非，它虫灵蜕。雪电藏形，风雷偃势。

蚓蚁失乘，蝍蛆残噬。凡骨登仙，饱餐脱滞。

《庄子》：蛇蜕也，似之而非也。《说文》：它，从虫而长。郭璞赞：灵蜕乘烟。白居易赋：鳞甲晶以雪色，睛眸艳其电光。李绅诗：已应蜕骨风雷后。《韩非子》：云罢雾霁，龙蛇与蚓蚁同矣，则失其所乘也。《关尹子》：蝍蛆食蛇。陆游诗：凡骨已蜕身自轻。夏侯湛序：弃俗登仙。《尔雅翼》：草居，恒饥，每得食稍饱，辄蜕壳。《避暑录话》：神仙升举，形滞难脱。

蚯　蚓

味咸，寒。主蛇瘕，去三虫、伏尸、鬼注、蛊毒，杀长虫，仍自化作水。生平土。

饮泉食块，心慧操廉。碧云晴漏，翠雨湿沾。

逶迤春画，绾结冬潜。泥封六一，莫保触盐。

东方虬赋：上食尘块，下饮渊泉。《淮南子》：食土者，无心而慧。《孟子》：充仲子之操，则蚓而后可者也。任士林赋：碧云晴漏。陈旅诗：檐曲细含翠雨凉。李德裕赋：入虚白而逶迤。苏轼歌：春蚓秋蛇随意画。《易林》：绾结难解。《礼》仲冬之月：蚯蚓结。《岁时记》：五月五日午时于韭畦取蚯蚓干之，谓之六一泥，治鱼鲠。东方虬赋：墐泥涂以自保，触盐滋而罔全。寇宗奭曰：被其毒者，以盐汤浸之，并饮盐水。

蠮 螉

味辛，平。主久聋，咳逆，毒气，出刺，出汗。生川谷。

咽咽翁翁，情殷负子。穴地纤腰，扑花小尾。

本异末同，情传精委。蛛纲尘封，营巢芦苇。

唐阙名赋：翁翁鼓翅，咽咽传意。《诗》：螟蛉有子，果嬴负之。《墨客挥犀》：穴地为巢者名蠮螉。元稹诗：纤腰软无力。李贺诗：黄蜂小尾扑花归。唐阙名赋：谅末同而本异。齐邱文：蠮螉之虫，螟蛉之子，传其情，交其精。薛道衡诗：暗牖悬蛛纲。柳宗元诗：砚匣留尘尽日封。陶弘景曰：一种蜂黑色，腰甚细，衔泥于人屋及器物边作房，生子如粟米大，捕取草上青蜘蛛十余枚，满中仍塞口；其一种，入芦管中者，亦取草上青虫也。

蜈 蚣

味辛，温。主鬼注，蛊毒，啖诸蛇、虫、鱼毒，杀鬼物老精，温疟，去三虫。生山谷。

冬寒闭蛰，春暖昭苏。赤连歧尾，黑簇双须。

禁施荒虺，畏制垂蛛。螟攫毒啮，桑沃盐涂。

《左传》：闭蛰而蒸。《礼》：蛰虫昭苏。李时珍曰：蜈蚣冬蛰春出，歧尾双须。韩保昇曰：黑头赤足者良。《博物志》：蛇虺见之，而蟠伏似施禁法。沈佺期诗：截荒虺。《鹤林玉露》：蜘蛛以溺射之即死。苏轼诗：落月出柳看垂蛛。陶弘景曰：被啮者，以桑汁、白盐涂之。

水 蛭

味咸，平。主逐恶血，瘀血，月闭，破血瘕，积聚，无子，利水道。生池泽。

三断三成，清冷水性。卤汁携行，寒菹任病。

龟宅安归，鲛巢莫令。一纪超形，人功物命。

《博物志》：水蛭三断而成三物。白居易诗：清冷由水性。陶弘景曰：蛭有数种，以水中者为佳。李时珍曰：山行，携茧卤汁一筒，避诸蛭。《新书》：楚惠王食寒菹而得蛭，遂吞之，病不为伤。嵇康诗：坎井蝤蛭宅，神龟安所归。王令诗：蛟龙宜自宅，蚓蛭莫令巢。《神仙传》桓君谓陶隐居曰：修本草用虻虫、水蛭辈为药，功虽及人，而害物命，以此一纪，后方得解形。

班 苗

味辛，寒。主寒热，鬼注，蛊毒，鼠瘘，恶创，疽蚀，死肌，破石癃。一名龙尾。生川谷。

四时变化，螫刺当秋。喙尖赤注，甲画斑留。

豆花凉晚，蓝汁香浮。曾闻采葛，亭长前修。

《古诗》：四时更变化。李时珍曰：一名盤蝥，言其毒如矛刺也。《春秋繁露》：怒气为清而当秋。雷敩论：斑苗甲上一画黄，一画黑，嘴尖处有一小赤点，在豆叶上食豆汁。孟淑卿诗：豆花雨过晚生凉。李时珍曰：中斑苗毒者，以蓝靛汁解之。范成大诗：生香风外浮。《太平御览》：春食芫花为芫青，夏食葛花为亭长，秋食豆花为斑苗，冬入地中为地胆。苏颂曰：四虫皆是一类，随时变化耳。贾逵书：景仰前修。

贝　子

味咸，平。主目翳，鬼注，蛊毒，腹痛，下血，五癃，利水道。烧用之。生池泽。

水陆居分，阴阳象审。仪锡百朋，货区五品。

文莹罗珠，言成织锦。御害灵奇，天然异禀。

《尔雅》：贝，居陆猋，在水蜬。《六书精蕴》：背穹而浑以象天之阳，腹平而折以象地之阴。《诗笺》：货贝五贝为朋，锡百朋，得禄多也。《汉书·志》：王莽为货贝五品。《南州异物志》：文若罗珠，不磨而莹。《诗》：成是贝锦。《相贝经》：径尺之贝，灵奇之秘宝，其次则御害一也。陈琳笺：此乃天然异禀。

石　蚕

味咸，寒。主五癃，破石淋，堕胎。肉：解结气，利水道，除热。一名沙虱。生池泽。

蚕形石化，亦育中阿。候无眠起，乐在风波。

身环泥茧，羽化灰蛾。云师雨虎，相荡相摩。

马志曰：石蚕生海岸石旁，状如蚕，其实石也。李时珍曰：与此不同。《诗》：在彼中阿。韩保昇曰：此虫所在，水石间有之。《埤雅》：蚕三眠三起。张志和词：乐在风波不用仙。寇宗奭曰：作丝茧长寸许，以蔽其身，其色如泥。陈藏器曰：春夏羽化，作小蛾水上飞。李时珍曰：霍山有云师，状如蚕，长六寸；雨虎，状如蚕，长七八寸，皆石蚕之类。《易》：刚柔相摩，八卦相荡。

雀　瓮

味甘，平。主小儿惊痫，寒热，结气，蛊毒，鬼注。一名躁舍。

五色蛅蟖，白涎凝冻。蛹闭专房，蛾穿破瓮。

附爱榴甘，坠添棘重。同寄桑蛸，风摇日弄。

《名医》曰：一名蛅蟖房，八月采。陈藏器曰：背有五色斑毛，能螫人，欲老者，口中吐白汁，凝聚渐坚，正如雀卵，其虫以瓮为茧，在中成蛹，夏月羽化而出，作蛾放子。曹邺诗：专房莫相妒。元稹诗：破瓮嫌防路。李时珍曰：此虫处处有之，惟取石榴树上，及棘枝上，房内有蛹者，正如螵蛸，取桑上者耳。万楚诗：日弄长飞鸟，风摇不卷花。

蜣　蜋

味咸，寒。主小儿惊痫，瘈疭，腹胀，寒热，大人癫疾，狂易。一名蛣蜣。火熬之良。生池泽。

深睛昂鼻，附母飞行。圆催丸转，光扑灯明。

久谙饱秽，忽化饥清。野狐觅食，暗听钟声。

韩保昇曰：此类多种，以鼻高目深者入药。《庄子》：蛣蜣之智，在于转丸。陶弘景曰：俗名推丸。寇宗奭曰：腹翼有小黄，子附母而飞，昼伏夜出，见灯光则来，狐喜食之。《抱朴子》曰：鸣蝉洁饥，不羡蜣螂秽饱。李时珍曰：柞蝉有转丸化成者。苏轼诗：洪钟起暗室，能作殷床声。

蝼　蛄

味咸，寒。主产难，出肉中刺，溃痈肿，下哽噎，解毒，除恶创。一名蟪蛄，一名天蝼，一名螜。夜出者良。生平泽。

秽穴声来，阴生夏至。一技无成，五能徒备。

昼伏宵行，雄升雌坠。磨铁相招，烙惊赤地。

苏颂曰：穴地粪壤中而生。《礼》注：孟夏蝼蝈鸣，阴气动于夏，应之而鸣也。蔡邕文：硕鼠蝼蛄别名五能，不成一技。注：能飞不能上屋，能缘不能穷木，能游不能度谷，能穴不能藏身，能走不能绝人。《山海经》：鸄鹖宵飞而昼伏。《尔雅》正义：雄者善鸣善飞，雌者不能飞翔，食风与土类，从磨铁致蛄，物相感也。李时珍曰：烧地令赤，置蝼于上，任其跳死，覆者雄，仰者雌也。

马　陆

味辛，温。主腹中大坚癥，破积聚，息肉，恶创，白秃。一名百足。生川谷。即马蚿，大蜈蚣也。

翠屏摇曳，逃影岩嵌。避蜗涎滑，羡蛇足芟。

步嗤鳖跛，醉解鸡馋。食牛气壮，鸣鼓声严。

《岭南异物志》：珠崖人，每晴明见海中远山罗列如翠屏，东西不定，悉蜈蚣也。高启诗：罔两忌影逃岩嵌。《玉匣记》：蜗牛登蜈蚣背，以涎绕之，其足自落。《庄子》：蚿怜蛇。注：以有而羡无也。黄庭坚诗：百足马蚿笑鳖跛。束晰记：鸡以蜈蚣为酒，食之即醉。《异物志》：东南海中，蜈蚣长数丈，能啖牛，里人秋冬间，鸣鼓燃火炬，以驱逐之。

地　胆

味辛，寒。主鬼注，寒热，鼠瘘，恶疮，死肌，破癥瘕，堕胎。一名蚖青。生川谷。

寂历冬心，披寻寒胆。蠢动阳舒，蛰藏阴惨。

赪尾霞拖，乌头云黮。蚁垤同封，垂精接感。

江淹赋：连悁冬心，寂历冬暮。朱子诗：肝胆不胜寒。《礼》注：春之言蠢。蠢，动生之貌也。《云笈七签》：禽虫蛰藏，以不食而全。刘峻论：阳舒阴惨。李时珍曰：此芫青、亭长之类，冬月入蛰者，黑头赤尾。苏轼诗：霞拖弄修帔。张衡赋：云师䨮以交集。陶弘景曰：出凉州，状如大马蚁，有翼。《淮南子》：蚁知为垤。欧阳修跋：垂精接感，分源而流。

鼠 妇

味酸，温。主气癃，不得小便，妇人月闭，血瘕，痫痓，寒热，利水道。一名负蟠，一名蛜威。生平谷。

讹沿鼠负，称溷鸡群。足垂多迹，脊蹙横纹。

伴蛸寄寂，抱瓮持勤。赤头青股，丹戬形分。

陶弘景曰：《尔雅》名鼠负，言鼠在坎中，背多粘负，今讹为妇。李时珍曰：俗名地鸡。白居易诗：未曾回眼向鸡群。寇宗奭曰：多足，大者三四分，背有横纹蹙起。《诗》：伊威在室，蟏蛸在户。黄庭坚诗：寄寂喧哄间。苏颂曰：在下湿处瓮器底及土坎中。黄庭坚文：持勤补拙。《名医》曰：丹戬生蜀郡，青股赤头，状如鼠妇。

荧 火

味辛，微温。主明目，小儿火创，伤热气，蛊毒，鬼注，通神。一名夜光。生池泽。

开阖光浮，悠扬腐化。双影池中，独征月下。

罗扇轻扬，斑帘疏罅。冠将和丸，武威扶藉。

苏轼诗：惟有孤萤自开阖。葛长庚诗：俯仰浮光几点星。刘禹锡诗：千门九陌飞悠扬。《礼》季夏之月：腐草为萤。纪少瑜诗：临池影更双。潘岳赋：翩翩独征。骆宾王诗：含晖疑泛月。杜牧诗：轻罗小扇扑流萤。杜甫诗：帘疏巧入坐人衣。《神仙感应篇》：务成子萤火丸，主辟疾病，诸毒兵刃，盗贼凶害，一名冠将丸，又名武威丸。郝经诗：扶藉不绝圣。

衣　鱼

味咸，温，无毒。主妇人疝瘕，小便不利，小儿中风，项强背起摩之。一名白鱼。生平泽。

肤黄粉白，歧尾游蟫。朽怜瓜化，静效鱼沉。

巧藏衣笥，缘结书林。发环脉望，空悟钻寻。

《尔雅》：蟫，白鱼。《尔雅翼》：蟫，始则黄色，既老则身有粉，视之如银。寇宗奭曰：其形似鱼，尾分二歧。《酉阳杂俎》：张周见壁上瓜子化为壁鱼，始知《列子》朽瓜化鱼之言不诬也。许浑诗：鱼沉水中静。李时珍曰：白鱼喜藏衣帛书纸中。《书》：惟衣裳在笥。元好问诗：书林结后缘。《酉阳杂俎》：脉望如发，卷之无端，乃衣鱼三食神仙字所化。《参同契》注：钻寻故纸，以望得悟。

彼　子

味甘，温。主腹中邪气，去三虫，蛇螫，蛊毒，鬼注，伏尸。生山谷。彼当作柀，即榧实。

斐然成章，霜松雪柏。牡壮腾华，牝虚孕核。

想像蜂黄，驱除虫白。外泽中贞，金盘荐席。

李时珍曰：柀，亦作棑。《木名文》：木斐然成章，故谓之榧。《宋史·传》张栻曰：李仁甫如霜松雪柏。苏恭曰：其木如柏，其理似松。《尔雅翼》：木有牝牡，牡者华而牝者实。叶适歌：坐对蜂儿还想像。孟诜曰：治寸白虫，日食七枚，七日虫化为水。刘子翚诗：外泽中贞期是似。苏轼诗：粲为金盘实。

桃核仁

味苦，平。主瘀血，血闭瘕邪，杀小虫。桃花杀注恶鬼，令人好颜色。桃凫微温，主杀百鬼精物。桃毛主下血瘕，寒热，积寒，无子。桃蠹杀鬼，邪恶不祥。生川谷。

练精五木，灵药辽东。壤藏仁白，墙覆花红。

枝留果硕，胆拭毛茸。竹檠梢挂，允彼飞虫。

《典术》：桃者，五木之精。章孝标诗：求师饱灵药，他日访辽东。孔平仲诗：食桃弃其核，下与粪壤藏。刘克庄诗：岁岁春风花覆墙。《易》：硕果不食。《礼疏》：桃曰胆之，拭治去毛，令色青滑如胆也。《种树书》：桃生小虫，以多年竹灯，檠挂树梢，即自落。《诗》：允彼桃虫。

杏核仁

味甘，温。主咳逆上气，雷鸣，喉痹，下气，产乳，金创，寒心，贲豚。生川谷。

遣嫁春婚，卜收秋获。花簇金丹，饧调冰酪。

羊熟酥含，虫歼油灼。聪利怡神，华滋咀嚼。

《文昌杂录》：王员外家杏花多不实，一媒妪曰：来春嫁了此杏。冬深携酒至，云是婚家撞门酒，辞祝再三。来春结子无数。《文献通考》：杏多实不虫者，来年秋禾实。李时珍曰：杏金丹方，杏熟收仁研汁，入釜火煎，十日起白霜，霜尽金花出，丹乃成。《玉烛宝典》：寒食研杏仁为酪，以饧沃之。陈基诗：冰酪赐来初。《开河记》：麻叔谋以羊同杏酪蒸之，谓曰含酥蛮。《扶寿方》：蛆虫入耳，捣杏仁泥，以油调滴。《野人闲话》：辛夤孙梦神告以食杏，令其聪利，和津咀嚼，老而轻健。郭璞赋：咀嚼华滋。

腐　婢

味辛，平。主痎疟，寒热，邪气，泄利，阴不起，病酒头痛。生汉中。

感秋气腐，畏日憎花。和羹亦有，饮酒无涯。

树寻茎曲，葛引藤斜。草木臭味，群婢纷哗。

《名医》曰：小豆花也，七月采。掌禹锡曰：有腐气，故名。《齐民要术》：豆花憎见日，见日则黄烂根焦。《诗》：亦有和羹。《心镜》：治诸疾用花同豉汁，五味煮羹食。《千金方》：加葛花等分，水调服，饮酒不醉。陶弘景曰：海边小树，状如卮子，茎叶多曲，气臭腐，能疗疟，土人呼为腐婢。苏恭曰：腐婢相承，以为葛花，消酒大胜。《左传》：譬于草木，君之臭味也。《史记·世家》桓子叹曰：夫子罪我，以群婢故也。元好问诗：不来坚坐看纷哗。

苦　瓠

味苦，寒。主大水，面目四肢浮肿，下水，令人吐。生川泽。

柔蔓弱条，凌霄秋系。其落无容，不才共济。

蹄践情移，穰灰性制。肥白轮囷，净无黡翳。

麻九畴诗：弱条柔蔓渐萦回。范梈诗：凌霄必有为。《庄子》：忧其瓠落无所容。《国语》：苦瓠不材，与人共济而已。汪机曰：有原种是甘变为苦者，俗谓牛马践踏之故。苏恭曰：服苦瓠过分，吐利不止者，以黍穰灰汁解之。凡用苦瓠，以细理莹净，无黡翳者佳。僧道衍诗：嫩瓠肥白才靶焊。陆游诗：家园瓜瓠渐轮囷。

水　靳

味甘，平。主女子赤沃，止血，养精，保血脉，益气，令人肥健嗜食。一名水英。生池泽。

洁清是尚，菜美芹荑。琼田玉本，碧涧青泥。

豆加芬实，盘馈春齐。至尊思献，德遍氓黎。

《诗》疏：采芹尚洁清也。《吕氏春秋》：菜之美者，云梦之芹。朱子诗：琼田何日种？玉本一时生。高启诗：饭煮忆青泥，羹炊思碧涧。《周礼》：加豆之实，芹菹兔醢。《四时宝镜》：东晋李鄂，立春日以芦菔、芹菜为菜盘相馈贻。嵇康书：野人有快炙背而美芹子者，欲献之至尊。《诗》：群黎百姓，遍为尔德。

月令七十二候赞

序

昔蔡邕言：月令者，因天时制人事，所以效气物、行王政也。古帝王研核阴阳，顺动四时，由四时分八节，由八节分二十四气，由二十四气分七十二候，立法渐为周密矣。载籍之纪，莫古于《夏小正》，《明堂月令》《易通卦验》《吕氏春秋》《淮南子》，递相祖述，互有异同。北魏始以七十二候颁为时令。隋马显之“景寅元术”，唐初傅仁均之“戊寅术”，李淳风之“麟德术”，皆沿习踵行。至开元时，一行之“大衍术”出，不用魏、隋相承之节候，专取《汲冢周书》，以为改从古义，《宋史·志》因之。迨《金史·志》改小满末候“小暑至”为“麦秋至”，《元史·志》复改立春末候“鱼上冰”为“鱼陟负冰”，小暑末候“鹰乃学习”为“鹰始挚”，皆参取《夏小正》者也；又改雨水次候“鸿雁来”为“候雁北”，则参取《通卦验》《吕氏春秋》《淮南子》而互用者也。至仲冬“麋角解”，经我朝高宗纯皇帝目验，更定为“麈角解”，时宪书遵纪之，是为今定七十二候。戊申秋，余就养来粤，端居多暇，因每候各为一赞，以纪天时，序人事，调气物，遂王政，备太和翔洽云尔。

道光己酉春汉阳叶志诜识于粤东抚署之颐安室

正　月[①]

东风解冻

《汲冢周书》立春文同。《明堂月令》孟春文同。《吕氏春秋》孟春文同，解：东方木，木，火母也；火气温，故解冻，冰泮释。《淮南子》孟春文同。《易通卦验》：立春，条风至，冰解；雨水，冻冰释。《礼》正义：条风，即东风也；冰解，即解冻也。《夏小正》正月：时有俊风。传：俊，大也，南风也，解冰必于南风，生必于南风，故大之也。寒日涤冻涂。传：涤，变也，变而暖也；冻涂者，冻下而泽上多也。《管子》：日至六十日而阳冻释，七十日而阴冻释。

青萍翕习，候气郊东。卿云蔼蔼，晓日曈曈。

冰棱涣释，土脉融通。风人春德，櫜籥全功。

宋玉赋：风起于青萍之末。王延寿赋：祥风翕习以飒洒。夏竦词：东郊候气回青辂。陆机诗：蔼蔼卿云被。李白诗：一闻鸡唱晓，已见日曈曈。唐阙名赋：断流而棱棱剑威。《老子》：涣兮若冰之将释。韦应物诗：春阳土脉起。任昉文：表里融通。《管子》：春风风人。《吕氏春秋》：春之德风。张聿诗：应从櫜籥功。杨巨源诗：交泰让全功。

蛰虫始振

《汲冢周书》立春文同。《明堂月令》孟春文同，疏：蛰虫得阳气，初始振动也。《吕氏春秋》孟春文同，解：地蛰伏之虫，乘阳始振动，苏生也。《淮南子》孟春：蛰虫始振苏。仲

① 正月：此标题原脱，据目录补。

春：蛰虫咸动苏。《夏小正》正月：启蛰。传：始发蛰也。《左传》：启蛰而郊。《礼》注“蛰虫昭苏”：昭，晓也，蛰虫以发出为晓，更息曰苏。《礼》疏：蛰虫之类皆埋藏其体，今复得活，似暗而遇晓也。

俯蛰冬余，展舒春信。蠕动跂行，沙飞蓬振。

屈以求信，退而知进。和气吹嘘，昭精腾奋。

周霆震诗：近郊俯藏蛰。《魏略·传〈董遇〉》：言冬者岁之余。《尔雅》疏：舒者，展舒徐缓有次也。刘克庄诗：春信分明到草庐。成公绥赋：跂行蠕动。鲍照赋：孤蓬自振，惊沙坐飞。《易》：尺蠖之屈，以求信也。又：知进而不知退。王起赋：念和气以吹嘘。《文心雕龙》：声画昭精，墨采腾奋。

鱼陟负冰

《夏小正》正月文同，传：陟，升也；负冰，言解蛰也。《淮南子》孟春：鱼上负冰。《易通卦验》：大雪，鱼负冰。注：上近冰也。《汲冢周书》立春：鱼上冰。《明堂月令》孟春：鱼上冰。疏：鱼当盛寒之时，伏于水下，逐其温暖；阳气既上，鱼游于水上。《吕氏春秋》孟春：鱼上冰。解：鲤鲋之属应阳而动，上负冰也。

潜渊知乐，追泮春冰。释辞重负，亨叶时升。

罢行狐听，禀操蚕登。唅喁游泳，莹骨清棱。

《诗》笺：潜渊，鱼之性，寒则潜于渊。《庄子》：子非鱼，安知鱼之乐。《诗》：迨冰未泮。《书》：涉于春冰。《穀梁传》：民如释重负。《易》：柔以时升。又：是以大亨。《水经注》：孟津河冰始合，人不敢渡，要须狐行，此物善听冰。《拾遗记》：员峤山有冰蚕。唐阙名赋：蚕东夏而禀操。《礼》：蚕事既登。王起赋：望唅喁而注目。范仲淹赋：在渊游泳。韦应物诗：饮之莹骨兮何所思。孟郊诗：清棱含冰浆。

獭祭鱼

《汲冢周书》惊蛰文同。《易通卦验》雨水文同。《明堂月令》孟春文同。《吕氏春秋》孟春文同，解：獭，猵，水禽也，取鲤鱼置水边，四面陈之，世谓之祭鱼。《淮南子》孟春文同。《夏小正》正月：獭献祭鱼。传：必与之献何也？非其类也，故谓之献，大之也；祭也者，得多也，善其祭而后食之。《尔雅翼》：獭岁尝两祭鱼。

獭为渊驱，奉鳞如祭。报本知时，荐新献岁。

隐岂虾从，歆非虬类。白鹭长饥，输将莫逮。

《孟子》：为渊驱鱼者，獭也。刘禹锡诗：奉鳞望青天。《左传》：承事如祭。王氏《字说》：獭知报本反始。《左传》：惟知时也。《礼》：荐新如朔奠。《楚辞》：献岁发春。贾谊赋：偭蟂獭以隐处兮，夫岂从虾与蛭螾。《魏志·传》注：虬龙神于獭，獭自祭，其先不祭虬龙也。《左传》：神不歆非类。李群玉诗：好鱼输獭尽，白鹭镇长饥。

候雁北

《易通卦验》惊蛰文同。《吕氏春秋》孟春文同，解：候时之雁从彭蠡来，北过至北极之沙漠也。《淮南子》孟春文同，注：是月，时候之雁。《汲冢周书》惊蛰：鸿雁来。《明堂月令》孟春：鸿雁来。注：雁自南方将北反其居。正义：雁来有先后，后者二月始来。《诗》传：大曰鸿，小曰雁。

迟迟玩景，归晚恒常。参差协候，嘹唳随阳。

风嘶逐影，星共依光。追寻前侣，暂别江湘。

卢思道赋：玩阳景之迟迟。《礼》疏：雁北乡有早晚，晚者惊蛰候。柳宗元文：动有恒常。李群玉诗：参差天汉雾。《周礼》注：执雁取其候，时而行。钱起诗：嘹唳独南征。《易林》：随阳休息。僧惠洪诗：边风马嘶北。《拾遗记》：驱光逐影。《论语》：譬如北辰，居其所而众星共之。《史记·传赞》：依日月之末光。何逊文：追凤篚于前侣。成公绥赋：投江湘而中憩。

草木萌动

《汲冢周书》惊蛰文同。《明堂月令》孟春文同，注：此阳气蒸达可耕之侯也。《农书》曰：土长冒橛，陈根可拔，耕者急发。《吕氏春秋》孟春：草木繁动。解：繁，众；动，挺而生也。《说文》：艸，百卉也，从二屮；木，冒也，冒地而生。《论衡》：地性生草，山性生木。《博雅》：萌，始也。

丽土资生，渐苞春月。庶卉勾芒，陈根冒橛。

野烧痕回，枯株稊发。普惠风薰，流甘雨歇。

《易》：百谷草木丽乎土。又：万物资生。《书》：草木渐苞。《后汉书·传》：庶卉蕃芜。《管子》：草木勾芒。古芒同萌。苏轼诗：尽放青青没烧痕。《易》：枯杨生稊。左思赋：惠风如薰。王筠碑：散馥流甘。

二　月

桃始华

《汲冢周书》雨水文同。《易通卦验》春分文同。《明堂月令》仲春文同。《吕氏春秋》仲春：桃李华。解：桃李之属皆舒华也。《淮南子》仲春：桃李始华。注：桃李于是皆秀华也。《夏小正》正月：梅杏杝桃则华。传：杝桃，山桃也。

爻临大壮，桃着秾华。酡颜散旭，锦浪蒸霞。

缘溪远近，满县周遮。夭夭灼灼，季女宜家。

《易通卦验》：大壮初九，桃始华。《诗》：何彼秾矣，华如桃李。皮日休赋：玉颜半酡。冯琦诗：渐入千枝散朝旭。李白诗：夹岸桃华锦浪生。韩愈诗：川源远近蒸红霞。陶潜记：武陵人缘溪行，忘路之近远，忽逢桃花林，夹岸数百步。《晋书·传》：潘岳为河阳令，栽桃李，号河阳满县花。元稹诗：濯锦莫周遮。《诗》：桃之夭夭，灼灼其华。《易林》：春桃生华，季女宜家。

仓庚鸣

《汲冢周书》雨水文同。《明堂月令》仲春文同。《吕氏春秋》仲春：苍庚鸣。解：《尔雅》：商庚，黎黄，楚雀也。齐人谓之搏黍，秦人谓之黄离，幽冀谓之黄鸟。《诗》云：黄鸟于飞。《淮南子》仲春：苍庚鸣。注：一说斫木也，至此月而鸣。《夏小正》二月：有鸣仓庚。传：仓庚者，商庚也；商庚，长股也。《易通卦验》雨水：鸧鹒鸣。《礼》正义：《通卦验》是正月候，国土各异，气有早晚。《说文》：仓庚鸣则蚕生。《埤雅》：仓庚鸣于仲春，其羽之鲜明在夏，仓庚知分阳气，分而鸣，可蚕之候也。

最好音声，流莺乍见。梭织双飞，簧调百啭。

求友怀同，迁乔寻遍。斗酒闲携，花开柳绽。

梅尧臣诗：最好音声最好听。刘孝孙诗：流莺拂绣羽。唐阙名诗：莺掷金梭织柳丝。《诗》疏：黄鸟性好双飞。李白诗：暖人莺簧舌渐调。司空曙诗：百啭相寻续。《诗》：求其友声。储光羲诗：同声既求友，不肖亦怀贤。《诗》：迁于乔木。杨巨源诗：玉洞花寻遍。《世说》：戴仲若春日携斗酒双柑，听黄鹂声。陆扆诗：报花开瑞锦，催柳绽黄金。

鹰化为鸠

《汲冢周书》雨水文同。《明堂月令》仲春文同。《吕氏春秋》仲春文同，解：喙正直，不鸷击也。《淮南子》仲春文同，注：鸠，谓布谷也。《夏小正》正月：鹰则为鸠。传：鹰也者，其杀之时也；鸠也者，非其杀之时也；善变而之仁也。曰则，尽其辞也。

鹰鸠同气，变化刚柔。机藏角弭，嘉爱容修。

听声慈念，识目憎留。鹊巢安稳，守拙何求。

《本草纲目》：鹰以膺击，与鸠同气嬗化。《易》：刚柔相推，而生变化。《埤雅》：鹰捕则角弭，藏杀机也。阮籍赋：嘉七子之修容。《听声考祥篇》：鸠声慈念。《世说》苏峻曰：阳和布德，鹰化为鸠，至于识者，犹憎其目。《方言》：鸠不善营巢，取鹊巢居之，虽拙而安处也。骆宾王诗：守拙异怀安。《诗》：亦又何求。

元鸟①至

《汲冢周书》春分文同。《明堂月令》仲春文同，注：燕以施生时来，巢人堂宇而孚乳。《吕氏春秋》仲春文同，解：元鸟，燕也，春分而来。传曰：元鸟氏，司启者也。《易通卦验》清明：元鸟来。注：元鸟随气和而至。《夏小正》二月：来降燕，乃睇。传：燕，乙也；降也者，下也；言来者，莫能见其始出也，故曰来降；睇者，眄也，视可为室者也。百鸟皆曰巢；突穴也，操泥而就入人家内也。

---

① 元鸟：即玄鸟。

忽听呢喃，阳和清昼。泥湿衔新，巢痕认旧。

比翼双栖，群雏均觳。祝祀高禖，玉筐宝覆。

贡师泰诗：一双巢燕自呢喃。王维诗：是时阳和节，清昼未为暄。鱼幼微[1]诗：湿嘴衔泥燕。李商隐诗：安巢复旧痕。江总诗：迎春比翼燕。沈佺期诗：海燕双栖玳瑁梁。杨慎诗：雏生八九子。卢谌赋：孕子觳之嘤嘤，铨先后而均哺。《礼》：元鸟至，以太牢祀于高禖。《吕氏春秋》：有娀氏二女搏燕，覆以玉筐。李峤表：荷圆穹之宝覆。

雷乃发声

《汲冢周书》春分文同。《明堂月令》仲春文同，疏：雷是阳气之声，将上与阴相冲。《吕氏春秋》仲春文同，解：冬阴闭固，阳伏于下，是月阳升，雷始发声，震气为雷。《淮南子》仲春：雷始发声。《易通卦验》惊蛰：雷。注：雷者电之光，雷有光而未发声。春分：雷雨行。注：雷雨所以解释孚甲。清明：雷鸣雨下。《释名》：雷者，如转，物有所硍雷之声也。《说文》：霆，雷余声，铃铃所以挺出万物也。

阴阳相薄，百里惊雷。宫音奋作，震位昭回。

鼓钟象写，桃李颜开。托云蓊郁，送雨喧豗。

《穀梁传》：阴阳相薄，感而为雷。《易》：震惊百里。张衡赋：凌惊雷之硠磕兮。《春秋繁露》：其音宫也，故应之以雷。《汉书·叙传》：春雷奋作。《易》：洊雷震。《说文》：雷，从雨畾声，象回转形。《诗》：昭回于天。《文子》：雷霆之声，可以钟鼓写也。陆游诗：桃李一笑韶颜开。《汉书·志》：雷当托于

---

① 鱼幼微：鱼玄机（约 844—约 871），初名幼微，字蕙兰，长安人，唐代著名的女诗人，著有《鱼玄机诗》。

云。李容赋：乘云气之郁蓊。杜甫诗：雷声忽送千峰雨。周权诗：昼夜怒激声喧豗。

始 电

《汲冢周书》春分文同。《明堂月令》仲春文同，疏：电，阳光；阳微则光不见，阳气盛以击于阴，其光乃见。《吕氏春秋》仲春文同，解：激气为电。《易通卦验》立夏：电见。《释名》：电，殄也，乍见则殄灭也。《说文》：電（电），阴阳激耀也，从雨申声。《易稽览图》：阴阳和合为电，辉辉也其光长。

威备丰隆，激奔列缺。银线斜飞，金蛇顿掣。

淬剑芒寒，鸣骀影绝。天笑霏霏，绕枢精彻。

《易》疏：雷电皆至，威明备足，以为丰也。皮日休赋：叱丰隆。《汉书·传》注：列缺，天闪也。韩偓诗：云脚飞银线。苏轼诗：电光时掣紫金蛇。《古今注》：吴有宝剑曰紫电。虞集诗：淬剑随龙化。刘禹锡赋：芒寒色正。范成大诗：鸣骀如电马如雷。张正见诗：影绝干河上。陆龟蒙诗：笑电霏霏作天喜。《河图握拒起》：大电绕枢星。陆云文：精彻毫芒。

三 月

桐始华

《汲冢周书》谷雨文同。《明堂月令》季春文同。《吕氏春秋》季春文同，解：是月生叶，故曰始华。《淮南子》季春文同。《夏小正》：三月，拂桐葩。传：拂也者，桐葩之时也，或曰：言桐葩始生儿，拂拂然也。

桐生茂豫，黄蕾先荣。拂乌粉坠，栖凤枝横。

月微香薄，井润阴清。风来韵发，如叩琼瑛。

《汉书·志》：桐生茂豫，靡有所诎。《群芳谱》：开嫩黄小花，如枣花。《齐民要术》：木之荣者多矣，独桐名荣者，桐以三月华。梁简文帝《乐府》：朝花拂曙乌。高启诗：晴粉朝英坠。魏彦深诗：枝横待凤栖。元稹诗：微月照桐华，风清暗香薄。李颀诗：清阴润井花。白居易诗：为君发清韵，风来如叩琼。

田鼠化为鴽

《汲冢周书》谷雨文同。《明堂月令》季春文同，疏：反归旧形谓之化，能生非类曰化。《易通卦验》谷雨文同，注：麋母也。《吕氏春秋》季春文同，解：鼸，鼠也；鴽，鹌也，青州谓之鴾母，周雒谓之鴽，幽州谓之鹌。《淮南子》季春文同，注：田鼠，鼢鼶也；鴽，鹑也。《夏小正》：三月，田鼠化为鴽。传：鴽，雒也，变而之善，故尽其辞也。

穴岂同居，化滋他族。善变宵飞，性存昼伏。

捕避猫迎，蒸濡蓼馥。鱼跃蛙鸣，趋时并育。

《书》：鸟鼠同穴。《左传》：无滋他族。《禽经》：鴽宵则群飞，昼则群伏。《左传》：夫鼠昼伏夜动。《礼》：迎猫，为其食田鼠也。又：鴽酿之蓼。《梦溪笔谈》：或有鱼所化者，鱼鳞虫龙类，火之所自生也。《列子》：蛙变为鹑。《易》：变通者，趋时者也。《礼》：万物并育而不相害。

虹始见

《汲冢周书》谷雨文同。《明堂月令》季春文同，疏：虹，阴阳交会之气，纯阴纯阳不见，云薄漏日，日照雨滴则生。《吕氏春秋》季春文同，解：虹，螮蝀也，兖州谓之虹。《淮南子》季春文同，注：《诗》云：螮蝀在东，莫之敢指。

轻虹双见，表里含章。占分风雨，交感阴阳。

冠峰窈窕，饮涧低昂。德侔玉气，瑞叶金光。

王筠诗：细雨带轻虹。《埤雅》：虹常双见。阎朝隐赋：表里冲融。《易》：含章可贞。《艺林伐山》：水虹主雨，风虹主风。《春秋元命苞》：阴阳交为虹霓。江淹诗：雄虹冠尖峰。苏味道诗：窈窕戾天浔。王胄诗：残虹低饮涧。阎朝隐赋：低昂殊状。《礼》：比德于玉焉，气如白虹。苏味道诗：神光藻瑞金。

萍始生

《汲冢周书》清明文同。《明堂月令》季春文同。《吕氏春秋》季春文同，解：萍，水藻也，是月始生。《淮南子》季春文同。《夏小正》七月：潢潦生苹。传：潢，下处也；有潢然后有潦，有潦而后有苹草也。《尔雅》注：江东谓之藻。《周礼》注：以不沉溺取名。

浮似菱根，宿因柳絮。的皪星荧，低平罽布。

影比形均，雨骄风妒。行潦沧溟，逍遥随遇。

杜恕论：萍与菱之浮相似也。马臻诗：如酬宿昔因。《群芳谱》：杨花入水所化。杨基诗：的皪似星出。刘绘诗：能逐水低平。陆龟蒙诗：重叠侵沙绿罽成。赵昂赋：殊源比影，异沼均形。夏茂卿赋：雨骄风妒。赵昂赋：行潦岂小于沧溟。常衮赋：可以明逍遥之意。苏彦赋：亦随遇而靡拘。

鸣鸠拂其羽

《汲冢周书》清明文同。《明堂月令》季春文同，注：飞且翼相击，趋农急也。《吕氏春秋》季春文同，解：鸣鸠，斑鸠也；是月拂击其羽，直刺上飞，数十丈乃复者是也。《淮南子》季春：鸣鸠奋其羽。注：鸣鸠奋迅其羽，直刺上飞入云中者是也。《夏小正》三月：鸣鸠。传：言始相命也；先鸣而后鸠，何也？鸠者鸣而后知其为鸠。

鸠群击翼，拍拍相呼。珠斑雨浴，锦毳风梳。

劝尝春酒，催种新畲。同怜百舌，飞栋相于。

韩愈诗：拍拍不得离。储光羲诗：时鸟自相呼。《本草纲目》：鸠斑如珍珠者，身大能鸣。张邦奇诗：鸠性爱雨花爱晴。元稹诗：毛衣软毳心性柔。王维诗：石发任风梳。刘基诗：勃鸠屋上鸣，劝我尝春酒。杜甫诗：布谷处处催春种。《诗》：如何新畲。元稹诗：春鸠与百舌，同得春风怜。曹植诗：春鸠鸣飞栋。杜甫诗：良友幸相于。

戴胜降于桑

《汲冢周书》清明文同。《明堂月令》季春文同，注：织纴之鸟，是时恒在桑；言降者，若时自天来，重之也。《吕氏春秋》季春：戴任降于桑。解：戴任，戴胜，鸱也。《尔雅》曰：鵖鸠部生于桑，是月其子强飞，从桑空中来下。《淮南子》：季春戴鵀降于桑。注：戴鵀，戴胜，鸟也。《诗》曰"鸤鸠在桑，其子在梅是也"。

来降因时，柔桑绿灿。绣羽风翔，花冠旭散。

候届蚕眠，忙趣扈唤。纴织程功，春归节换。

《大戴礼》：莫能见其始出也，故曰来降。《易》：因其时而惕。《诗》：爰求柔桑。《古乐府》：春桑正含绿。张何诗：映日花冠动，迎风绣羽开。阮籍诗：逍遥顺风翔。王逢诗：红旭散花房。庾信诗：原蚕始更眠。《左传》注：桑扈，窃脂，为蚕驱雀者也。《礼》：程功积事。欧阳修诗：明日酒醒春已归。司空曙诗：东风催节换。

四　月

蝼蝈鸣

《汲冢周书》立夏文同。《明堂月令》孟夏文同，注：蛙也。《吕氏春秋》孟夏文同，解：虾蟆也，是月阴气动于下，故阴类鸣。《淮南子》孟夏文同，注：蝼，蝼蛄；蝈，虾蟆也，四月阴气始动于下，故鸣。《易通卦验》小满：蝼蛄鸣。《夏小正》三月：螜则鸣。传：天蝼也。

阴萌气动，蝼蝈肩随。鸣占雄牡，声杂官私。

技穷夜曜，更听晨曦。呼吸风土，快乐陂池。

《月令章句》：蝼蛄、虾蟆，四月阴气始动于下，二物应之而鸣。《礼》：则肩随之。《尔雅》正义：雄者善鸣善飞。《中州记》：晋惠帝闻蛙声，问左右曰：此鸣为官乎，为私乎？《荀子》：梧鼠蝼蛄别名五技而穷。《图经本草》：蝼蛄穴地而生，夜则出外求食。《豹隐纪谈》：内楼五更毕，梆鼓交作，谓之蟆更。《本草纲目》：吸食风土，喜近灯光。白居易诗：快乐无以加。班固赋：陂池交属。

蚯蚓出

《汲冢周书》立夏文同。《易通卦验》芒种文同，注：旧说蚯蚓淫邪。《明堂月令》孟夏文同。《吕氏春秋》孟夏文同，解：蚓从土中出。《淮南子》孟夏：邱螾出。

聚螾阶陬，阴晴相属。质谢云升，食安壤沃。

窍作蝇声，蟠同鱓曲。异类雌雄，螽斯蹢躅。

梅尧臣诗：聚螾登阶陬。《本草纲目》：阴则先出，晴则夜鸣。《新论》：云雾虽密，蚁蚓不能升者，无其质也。《孟子》：

上食槁壤。《水经注》：水丰壤沃。苏轼诗：蚯蚓窍作苍蝇声。东方虬赋：乍逶迤而鳣曲。《物类相感志》：阜螽与蚯蚓，异类而为雌雄，蚯蚓鸣则阜螽跳跃。

王瓜生

《汲冢周书》立夏文同。《明堂月令》孟夏文同，注：萆挈也。《尔雅》：黄，菟瓜。《集说》：谓之瓜者，以根之似也；色赤，感火之色。《淮南子》孟夏文同，注：王瓜，栝楼也。《吕氏春秋》孟夏：王菩生。解：菩或作瓜；瓠，瓤也，是月乃生。《夏小正》四月：王萯秀。《唐本草》：四月生苗，延蔓似栝楼，五月开黄花，花下结子如弹丸，生青熟赤，根似葛而细多糁，谓之土瓜根。

连根王萯，种亦呼瓜。碧须引蔓，黄簇敷华。

蔡菇种别，芴菲名哗。渐垂赤雹，纷噪群鸦。

《本草衍义》：王瓜，细根上又生淡黄根，三五相连。《礼》注：一名王萯。《神农本草》：一名土瓜。《群芳谱》：其蔓多须，开小黄花成簇。《尔雅》注：蔡菇亦名土瓜，芴菲亦谓之土瓜，异类同名。《本草纲目》：瓜似雹子，熟则色赤，故俗名赤雹子，鸦喜食之。《图经》：又名老鸦瓜也。杜甫诗：野鸦无意绪，鸣噪自纷纷。

苦菜秀

《汲冢周书》小满文同。《明堂月令》孟夏文同，《集说》：苦菜味苦，感火之味而成。《吕氏春秋》孟夏文同，解：《尔雅》云：不荣而实曰秀，荣而不实曰英。苦菜当言英也。《淮南子》孟夏文同，注：苦菜当言荣也。《唐本草》：苦菜生于寒秋，经冬历春，得夏乃成，一名游冬；叶似苦苣而细，断之有白汁，花黄似菊。

赤白根分，秀逢夏永。花飏毛茸，叶森叉挺。

细捣香齑，熟蒸滑饼。折忌飞蛾，误疑植茗。

王令诗：昼日差夏永。《本草纲目》：苦菜有赤茎、白茎二种，每叶分叉，撺挺如穿叶状，开黄花，花罢收敛，子上有白毛茸茸，随风落处即生。黄正色诗：杜撰人间苦荬齑。《兼明书》：煮去苦味，和米粉作饼食之。《食性本草》：蚕蛾出时不可折，令蛾败。《唐本草》陶弘景言苦菜疑即茗，茗一名荼。苏恭按：茗乃木类，与此全别，陶说误矣。白居易记：飞泉植茗。

靡草死

《汲冢周书》小满文同。《明堂月令》孟夏文同，《集说》：草之枝叶靡细者阴类，阳盛则死。《淮南子》孟夏文同。《吕氏春秋》孟夏：靡草死，解：靡草，荠、亭历之类。《夏小正》七月：爽死。传：爽者，犹疏也。《齐民要术》：岁欲甘，甘草先生荠；岁欲苦，苦草先生亭历。

荠甘蕈苦，冬茂春馨。萍铺白灿，黍碎黄荧。

含薰毕起，焦火先零。漫劳芸耨，代谢潜形。

《诗》：其甘如荠。《尔雅》：蕈，葶苈。《名医别录》：葶苈，苦，大寒。《本草纲目》：荠，冬至后生苗，二三月起茎五六寸，开小白花，结荚如小萍。《图经本草》：亭历，初春生苗，叶高六七寸，三月开花，微黄结角，子扁小如黍粒微长，黄色。陶潜诗：含薰待清风。《晋书·志》：四月为巳，巳者起也，物至此时毕尽而起。《庄子》：其热焦火。《礼》：其臭焦。《世说新语》注：望秋先零。《荀子》：芸耨失秽。何劭诗：四时更代谢。韦应物赋：万动潜形。

麦秋至

《明堂月令》孟夏文同，《集说》：秋者，百谷成熟之期，此于时虽夏，于麦则秋。《吕氏春秋》孟夏文同。《淮南子》孟夏文同，注：四月阳气盛于上，五月阴气作于下，故曰麦秋至。《说文》：麦，芒谷，秋种厚埋，属金，金王而生，火王而死。《汲冢周书》小满：小暑至。

麦占先秋，欢迎新夏。种播三时，气含四化。

翠浪沦漪，黄云䆉稏。饼饵风香，出筐蚕罢。

贺知章诗：边草夏先秋。宋无诗：绿阴镂日新欢夏。《氾胜之书》：种麦，八月上戊社前为上时，中戊前为中时，下戊前为下时。陆深赋：麦备四气。《淮南子》：阴阳调，四时化。陆游诗：风翻翠浪千畦麦。杜甫诗：鼓浪扬沦漪。范成大诗：已作黄云色。杜甫诗：翠浪舞翻红䆉稏。苏轼诗：夏陇风来饼饵香。陈造谣：麦上场，蚕出筐。萧颖士诗：蚕罢里闾晏，麦秋田野暄。

五　月

螳螂生

《汲冢周书》芒种文同。《易通卦验》夏至文同。《明堂月令》仲夏文同，注：螵，蛸母也。疏：三河之域谓之螳螂。《集说》：一名蚚父，一名天马，言其飞捷如马也。《吕氏春秋》仲夏文同，解：螳螂，一曰齕疣，兖州谓之拒斧也。《淮南子》仲夏文同，注：一名齿肬。

螵蛸百子，厉勇虫伸。峨冠延望，耸距张瞋。

贪心执翳，奋臂当轮。翩翩黄雀，见利忘真。

《尔雅》正义：深秋乳子，夏初乃生，亦生百子如螽斯云。《韩诗外传》：此为天下勇虫。成公绥赋：冠角峨峨，延颈鹄望。《吴越春秋》：耸距举吻，贪心务进。刘孝威赞：礴翅张瞋。《埤雅》：螳螂所执之翳，可以蔽形。郭璞赞：拒斧奋臂。《韩非子》：螳螂举足，将搏其轮。成公绥赋：翩翩黄雀。《庄子》：异鹊从而利之，见利而忘其真。

䴗始鸣

《汲冢周书》芒种文同。《明堂月令》仲夏文同，《集说》：䴗，博劳也。《吕氏春秋》仲夏文同，解：䴗，伯劳也，是月阴作于下，阳发于上；伯劳夏至后，应阴而杀蛇，磔之于棘而鸣其上。《淮南子》仲夏文同，注：传曰：伯赵氏，司至者也。《夏小正》五月：䴗则鸣。传：䴗者，伯劳也，鸣者，相命也；其不辜之时，是善之，故尽其辞也。《易通卦验》小暑：伯劳鸣。《诗》疏：《月令》仲夏䴗始鸣，是中国正气，豳地晚寒，鸟初鸣之候从其乡土之气，故至七月䴗始鸣也。《埤雅》：鸣䴗知至，阴气至而鸣，可绩之候也。

䴗爱单栖，孤鸣寂泊。棘磔蛇蟠，枝鞭儿诺。

慰听伯劳，呼同姑恶。司至名官，阳潜阴跃。

《易通卦验》注：䴗性好单栖。刘孝绰诗：孤鸣若无对。谢灵运赋：乘恬知以寂泊。《尔雅翼》：所踏树枝鞭小儿，令速语。《本草纲目》：伯劳，象其声也。曹植论：尹吉甫杀孝子伯奇，见异鸟，心动，顾曰：伯奇劳乎？《晋载记》：苦鸟以四月鸣，名曰苦苦，又名姑恶。《晋书·志》：五月阳气下降，阴气始起。嵇喜诗：潜跃无常端。

反舌无声

《汲冢周书》小满文同。《明堂月令》仲夏文同。《章句》：

反舌，虾蟆也。疏：反舌鸟春始鸣，五月稍止，今人识之，不从纬与俗儒也。《吕氏春秋》仲夏文同，解：反舌，百舌也，能辨反其舌，变易其声，效百鸟之鸣，故谓之百舌。《淮南子》仲夏文同，注：五月阳气极于上，微阴起于下，百舌无阴，故无声也。《易通卦验》小暑：虾蟆无声。注：早出者不复鸣。

报春唤遍，形敛言儳。簧调百啭，囊括三缄。

络丝罣织，枚箸初衔。笑蛙井底，阁阁谁监。

杜甫诗：重重只报春。梁锽诗：敛形藏一叶。《礼》：无儳言。刘禹锡诗：笙簧百啭音韵多。《易》：括囊无咎。《家语》：金人三缄其口。《禽经》：江南人谓之唤春，声圆转，如络丝。《诗》笺：行枚，枚如箸，含之于口。《本草纲目》：蔡邕以反舌为虾蟆，大误。《后汉书·传》：马援曰：子阳井底蛙耳！韩愈诗：阁阁只乱人。

鹿角解

《汲冢周书》夏至文同。《明堂月令》仲夏文同。《吕氏春秋》仲夏文同，解：夏至角解堕。《淮南子》仲夏文同。《易通卦验》：鹿解角。

挟阴之阳，苍然折角。肉茁丛芝，琼怀双珏。

向外枝攡，变刚肤剥。町疃呦呦，俨同驯驳。

《埤雅》：鹿角挟阴之阳也。韦应物诗：麋角已苍然。《汉书·传〈朱云〉》：折其角。赵秉文诗：麋角轮囷生肉芝。《埤雅》：鹿至六十年，必怀琼于角。范成大辞：藉予玉兮双珏。《埤雅》：鹿群居则环，其角外向。李俊民赋：有角而枝。《易》：柔变刚也。又：剥床以肤。《诗》：町疃鹿场。又：呦呦鹿鸣。司马相如赋：驾驯驳之驷。《尔雅翼》：荆楚之地，其鹿似马，当解角时，望之无辨。

蜩始鸣

《汲冢周书》夏至文同。《明堂月令》仲夏：蝉始鸣。《吕氏春秋》仲夏：蝉始鸣。解：蝉鼓翼始鸣。《淮南子》仲夏：蝉始鸣。《易通卦验》夏至：蝉鸣。《夏小正》五月：螂蜩鸣。传：螂蜩也者，五采具。唐蜩鸣。传：鸣者蝘也。

清虚自慕，羽化登仙。乍飘嘶涩，相接翩绵。

谈风说露，急管繁弦。别枝曳过，鬓饰轻便。

欧阳修赋：出自粪壤，慕清虚者耶。苏轼赋：羽化而登仙。颜之推诗：乍飘流曼响。耿讳赋：犹嘶涩兮多断。薛涛诗：声声似相接。嵇康赋：翩绵飘邈。杨万里诗：说露谈风有典章。钱起歌：繁弦急管催献酬。方干诗：蝉曳残声过别枝。马吉甫诗：饰鬓裁新样。许桢歌：风动似舞尤轻便。

半夏生

《汲冢周书》夏至文同。《易通卦验》大暑文同，注：草名。《明堂月令》仲夏文同。《吕氏春秋》仲夏文同，解：半夏，药草。《淮南子》仲夏文同。

夏半舒苗，白蘶辨悉。叶偶三三，茎抽一一。

圆满珠辉，莹潜玉质。羊眼形良，乌头莫暱。

《本草纲目》：生当夏之半也。韩愈诗：夏半阴气始。李峤诗：舒苗长石台。《炮炙论》：白旁蘶子，极似半夏，微酸不入药用。《群芳谱》：二月生苗一茎，茎端三叶，三三相偶而生。白居易诗：一一拍心知。陈后主诗：光满应珠圆。孙绰颂：玉质幽潜。《神农本草经》：一名水玉。《唐本草》：生平泽中，名羊眼半夏，圆白为胜。《雷公药对》：性与乌头相反。

六　月

温风至

《汲冢周书》小暑文同。《明堂月令》季夏：温风始至。《吕氏春秋》季夏：凉风始至。解：夏至后四十六日立秋节，故曰凉风。《淮南子》季夏：凉风始至。

顺时燠若，风动蒙温。气嘘鞴扇，尘上车掀。

炎云峰起，烁日波吞。阜财解愠，长养滋繁。

欧阳修书：莫若顺时。《书》：时燠若。王逢诗：清明一气嘘。《清异录》：开花风为花鞴扇。《左传》：且尘上矣。韩愈诗：颓胸垤腹车掀辕。江淹赋：炎云峰起。宋之问赋：烁日相煎。张元干诗：波吞震泽天。舜《琴歌》：可以解吾民之愠兮，可以阜吾民之财兮。董仲舒文：以生育长养为事。杜牧诗：柯叶自滋繁。

蟋蟀居壁

《汲冢周书》小暑文同。《明堂月令》季夏文同，《集说》：蟋蟀生于土中，此时羽翼犹未能远飞，但居其穴之壁，至七月则能远飞而在野矣。《吕氏春秋》季夏：蟋蟀居宇。解：蟋蟀、蜻蛚，《尔雅》谓之蛬，阴气应，故居宇，鸣以促织。《淮南子》季夏：蟋蟀居奥。注：蟋蟀、蜻蛚，促织也，《诗》曰"七月在野"，此曰居奥，不与经合。《易通卦验》立秋：蜻蚓鸣。注：蜻蚓，蟋蟀之名也。白露：蜻蚓上堂。《埤雅》：蟋蟀之虫，随阴迎阳。

篱壁游居，屡迁幽阜。养锐牙青，函坚首黝。

化或蜂藏，育兼苇朽。促织吟秋，惊催懒妇。

严羽书：傍人篱壁。《管子》：游居有常。滕元秀诗：屡迁怜蟋蟀。左思赋：族茂幽阜。《晋书·载记》：闭关养锐。贾似道文：蟋蟀有牙青等名。牛僧孺文：刀铦函坚。高承埏赋：铁首蜂形。《庚己编》：相城刘浩，见水滨大蜂就泥中展转数四，化为蟋蟀。《搜神记》：朽苇为蛬。《古今注》：一名促织。王褒论：蟋蟀俟秋吟。《诗》疏：里语云：促织鸣，懒妇惊。

鹰始挚

《夏小正》六月文同，传：始挚而言之何？讳杀之辞，故挚云。《汲冢周书》小暑：鹰乃学习。《明堂月令》季夏：鹰乃学习。疏：二阴既起，鹰感阴气乃有杀心。《集说》：学习，雏学飞也。《吕氏春秋》季夏：鹰乃学习。解：秋节将至，故鹰顺杀气自习肄，为将搏挚也。《淮南子》季夏：鹰乃学习。《易通卦验》秋分：鸷鸟击。注：鸷鸟，鹰鹯之属。

炎精火德，瞥见豪鹰。数飞时习，骋势轻腾。

金眸怒积，铁爪刚棱。云霄自致，决胜秋登。

魏彦深赋：擅火德之炎精。杜甫诗：代北有豪鹰。《论语》注：时习，如鸟数飞也。《文心雕龙》：王扬骋其势。《云笈七签》：行步轻腾。杜甫诗：金眸玉爪不凡材。《新书》：积怒而后全刚生。魏彦深赋：爪刚如铁。《后汉书·传》：刚棱疾恶。钱起诗：不意云霄能自致。郑嵎诗注：申王赤鹰，目为决胜儿。颜延年赋：霜戾秋登。

腐草为萤

《明堂月令》季夏文同，疏：为萤，不云化者，萤不复为腐草。《汲冢周书》大暑：腐草化为萤。《吕氏春秋》季夏：腐草化为蚈。解：马蚿也，蚈读如蹊径之蹊，幽州谓之秦渠，一曰萤火也。《淮南子》季夏：腐草化为蚈。《易通卦验》立秋：腐草为嗌。注：旧说腐草为鸣，今言嗌，其物异名乎。王楚材案：《说文》引《明堂月令》腐草为蠲，嗌字鸣字或是蠲字之讹。

草岂宵明，萤偏夜照。河畔芳菲，墙阴熠耀。

零露同溥，稀星比妙。滋蔓空图，华灯相肖。

《拾遗记》：宵明草，夜视如列烛，昼则无光。《吕氏本草》：一名夜照。《古诗》：青青河畔草。庾肩吾诗：春日生芳菲。杨忆诗：零乱起墙阴。《诗》：熠耀宵行。又：野有蔓草，零露溥兮。杜甫诗：复乱檐边星宿稀。《左传》：无使滋蔓，蔓难图也。杨宏贞赋：承乏华灯。苏轼诗：我依月灯出，相肖两奇绝。

土润溽暑

《汲冢周书》大暑文同。《明堂月令》季夏文同。《集说》：溽，湿也，土之气润，故蒸郁而为湿暑。《吕氏春秋》季夏文同，解：夏至后三十日大暑节，火王也，润溽而湿重。《淮南子》季夏文同，注：溽暑，湿重也。

歊蒸润溽，土脉滋苏。湿流柱础，汗滴耰锄。

气侵簟滑，色变絺綌濡。眠如醉酒，地践汙潴。

卢思道赋：积歊蒸于帘栊。《礼》注：润溽，谓涂湿也。梅尧臣诗：轻沾土脉全。常衮表：膏泽顿滋，宿麦方苏。《淮南子》：山云蒸而柱础润。聂夷中诗：锄禾日当午，汗滴根下土。刘光祖诗：胡床滑簟应无价。庾肩吾启：轻絺立变。柳宗元诗：南州溽暑醉如酒，隐几熟眠开北牖。薛能诗：无地不汙潴。

大雨时行

《汲冢周书》大暑文同。《明堂月令》季夏文同，疏：不云降，降止是下耳，欲言其流义，故云行；行，犹通被也。《集说》：大雨亦以之而时行，皆东井之所生也。《吕氏春秋》季夏文同，解：又有时雨。《淮南子》季夏文同。《夏小正》七月：时有霖雨。

鼓舞商羊，三时利见。雷转只轮，云拖匹练。

响骤翻盆，溜奔飞箭。快遍崇朝，须臾慰愿。

《家语》：天将大雨，商羊鼓舞。《荆楚岁时记》：六月必有三时雨。颜延之诗：圣时利见。《淮南子》注：雷转气，故为车轮。《京房风角》候雨法：有黑云如一匹帛干日中，即日大雨。沈瑱赋：骤繁响于阙庭。杜甫诗：白帝城下雨翻盆。杨师道诗：长檐响奔溜。陆游诗：掠地俄成箭镞飞。《公羊传》：不崇朝而遍雨乎天下。韩琦诗：须臾慰满三农望。

七　月

凉风至

《汲冢周书》立秋文同。《易通卦验》立秋文同，注：凉风，风有寒气。《明堂月令》孟秋文同。《吕氏春秋》孟秋文同，解：凉风，坤卦之风，为损降下。《淮南子》孟秋文同。《白虎通德论》：凉风至则报地，德化四乡。

凉归玉宇，爽纳金飚。云飞气举，波起湍高。

泠泠筱韵，摵摵松涛。暑驱酷吏，兴引风骚。

梁简文帝诗：向夕引凉归。李华赋：玉宇璿阶。刘禹锡诗：纳爽耳目变。宋仁宗诗：金飚送晚凉。汉武帝辞：秋风起兮白云飞。谢庄歌：云冲气举。《楚辞》：洞庭波兮木叶下。李怀远诗：湍高棹影没。元结歌：韵和泠泠。梁简文帝诗：风声随筱韵。白居易诗：疏韵秋摵摵。欧阳原功诗：下帘危坐听松涛。

杜牧诗：大暑去酷吏。高适诗：兴引风骚。

白露降

《汲冢周书》立秋文同。《明堂月令》孟秋文同。《章句》：露者，阴液也，释为露，结为霜。《吕氏春秋》孟秋文同。《淮南子》孟秋文同。《易通卦验》立秋：白露下。注：白露，露得寒气始转白。

仙掌宵零，天区齐溉。珠颗晶莹，琼浆沆瀣。

鹤警奇音，兰迎绰态。五色流甘，囊盛明昧。

《汉武故事》：仙人掌擎玉盘，取云表之露。班固文：甘露宵零于丰草。《酉阳杂俎》甘子贺表：雨露所均，混天区而齐被。范成大诗：齐头珠颗圆。李群玉诗：晶莹失蚌胎。江淹赋：秋露如珠。司空图诗：熔作琼浆洒露盘。司马相如赋：呼吸沆瀣。白行简赋：夜寂空知警鹤。吴均诗：清唳有奇音。郑谷诗：渐晓兰迎露。《楚辞》：滂心绰态。《洞冥记》：吉云国五色露，味甘。褚涛颂：流甘月晓续。《齐谐记》：邓绍入华山，见一童子执五彩囊，承柏叶上露，言赤松先生取以明目。《说文》：昧，不明也。

寒蝉鸣

《夏小正》七月文同，传：寒蝉者，蝭鹿也。《汲冢周书》立秋文同。《易通卦验》处暑文同。《明堂月令》孟秋文同，注：寒蝉，寒蜩，谓蜺也。《吕氏春秋》孟秋文同，解：寒蝉得寒气，鼓翼而鸣，时候应也。《淮南子》：孟秋文同。《尔雅》注：寒螀也，似蝉而小，青赤。

嫩凉秋信，凄切新腔。翼舒罗薄，緌缀缨双。

斜阳照柳，素月萦窗。更鸣迭息，泉溜琤淙。

白居易诗：早凉秋尚嫩。贾岛诗：一点新萤报秋信。释齐已诗：凄切暮关头。黄庭坚诗：秀句入新腔。孙楚赋：翼如罗缠。陆士龙赋：振修緌以表首。欧阳修诗：古柳照斜阳。杜甫诗：萦窗素月垂秋练。萧颖士赋：既更鸣而迭息。卢仝诗：泉溜潜幽咽。黄庭坚诗：迩来颇琤淙。

鹰乃祭鸟

《汲冢周书》处暑文同。《明堂月令》孟秋文同，注：祭鸟，将食之，示有先也，既祭之后，不必尽食。《吕氏春秋》孟秋文同，解：是月，鹰挚杀鸟于大泽之中，四面陈之，世谓之祭鸟。《淮南子》孟秋文同。《易通卦验》白露：鹰祭鸟。

时维鹰扬，指挥献鸟。电矗风高，星分云表。

礼近尊先，神非举矫。豺獭同俦，含灵自晓。

《诗》：时维鹰扬。苏颋序：指挥应节。《礼》：献鸟者拂其首。《幽明录》：矗若飞电。李白诗：八月边风高。高适赋：皆披靡而星分。苏轼诗：孤绝寄云表。杜审言诗：清庙乃尊先。《左传》：祝史矫举以祭。《礼》：獭祭鱼。又：豺乃祭兽。温子升碑：含灵自晓。

天地始肃

《汲冢周书》处暑文同。《明堂月令》孟秋文同，注：肃，严急之言也。《吕氏春秋》孟秋文同，解：肃杀素气始行。《淮南子》孟秋文同。

天功揫敛，地道阴沉。层霄朗旭，大野疏林。

云归氛涤，潦尽潭深。爽明泼眼，戴履函心。

《书》：时亮天功。《宋史·志》：揫敛万汇。《中庸》：地道敏树。《文心雕龙》：阴沉之志远。庾阐诗：层霄映紫芝。王微诗：慨因朗旭彰。朱延龄诗：天临大野间。谢灵运诔：剔柯疏林。朱子诗：风回云气归。袁淑赋：是寓涤氛。王勃序：潦水尽而寒潭清。宋乐歌：天地爽且明。陆游诗：小圃秋光泼眼来。《潜虚》：君子上戴天，下履地，中函心。

禾乃登

《汲冢周书》处暑文同。《明堂月令》孟秋：农乃登谷。《吕氏春秋》孟秋：农乃升谷。解：升，进也。《淮南子》孟秋：农乃升谷。注：升，成也。《说文》：嘉谷也，二月始生，八月而熟，得时之中，故谓之禾；禾，木也，木王而生。《诗》疏：苗生既秀，谓之禾。

明耀璿星，嘉禾垂颖。白露津流，黄云光迴。

丰满篝车，余遗穗秉。入甑新舂，翻匙雪影。

《春秋运斗枢》：璿星明则嘉禾溢。张衡赋：既垂颖而顾本兮。谢庄赋：白露暧空。李洞诗：湛露静流津。滕白诗：翠茸锦上织黄云。林藻诗：结盖祥光迴。《史记·传》：瓯窭满篝，污邪满车。《诗》：彼有遗秉，此有滞穗。苏轼诗：新舂便入甑。杜甫诗：尝稻雪翻匙。陈旅诗：移得晴窗雪影来。

八　月

鸿雁来

《汲冢周书》白露文同。《明堂月令》仲秋文同。《集说》：孟春言鸿雁来，自南而来北也，此言自北而来南也。《吕氏春秋》仲秋：候雁来。解：候时之雁，从北漠中来，南过周雒之彭蠡。《淮南子》仲秋：候雁来。《易通卦验》：候雁南乡。注：阳气尽之候也。

白鸿苍雁，三异三同。栖辞紫塞，游振苍穹。

眠沙宿水，唳月嘹风。稻粱谋足，无事西东。

《博物志》：鸿色白，雁色苍，有三同三异。鲍照赋：北走紫塞雁门。高适诗：逸翮驰苍穹。敖陶孙诗：水宿沙眠得自由。谢宗可诗：风嘹月唳自相亲。杜甫诗：各有稻粱谋。陈基诗：一朝无事忽相违，一向东飞一向西。

元鸟归

《汲冢周书》白露文同。《易通卦验》秋分文同，注：元鸟随阳，故南归也。《明堂月令》仲秋文同，疏：元鸟之蛰，虽不远在四夷，必于幽僻之处，非中国所常见。《集说》：此言归，明春来而秋去也。《吕氏春秋》仲秋文同，解：秋分而去，归蛰所也。《淮南子》仲秋文同。《夏小正》九月：陟元鸟蛰。传：陟，升也，先言陟而后言蛰何也？陟而后蛰也。

社燕司分，曰归期至。情恋居安，凉增乡思。

雏引同飞，爪痕留记。来去年华，雕梁恒寄。

《广雅》：春社来，秋社去，故谓之社燕。《左传》：元鸟氏，司分者也。《诗》：我东曰归。《左传》疏：依期而至。蔡琰诗：去去割情恋。《论语》：居无求安。曹植赋：朔风感而增凉。孟浩然诗：乡思重相催。杜甫诗：樯燕引雏飞。《吴地记》：吴宫中剪燕爪，留之以记更来。张说诗：且喜年华去复来。沈约诏：情深恒寄。

群鸟养羞

《汲冢周书》白露文同。《明堂月令》仲秋文同，疏：谓所食者若食之珍羞也。《集说》：养羞者，藏之以备冬月之养也。《吕氏春秋》仲秋文同，解：寒气将至，群鸟养进其毛羽，御寒也。《夏小正》八月：丹鸟羞白鸟。传：羞也者，进也，不尽食也。《淮南子》仲秋：群鸟翔。注：寒气至，群鸟肥盛，试其羽翼而高翔；翔者，六翮不动也。或作养，养育其羽毛也。

鸟知豫养，饥噪相谋。御冬旨蓄，俶献嘉羞。

瓜瓞唪唪，禾黍油油。金穰蕃殖，供尔多求。

《后汉书·纪》注：豫养，谓豫前养之道也。李频诗：空城饥噪暮烟多。《诗》：我有旨蓄，亦以御冬。《仪礼》：禽羞俶献。傅嘏颂：嘉羞千品。《诗》：瓜瓞唪唪。《史记·世家》：禾黍油油。沈与求诗：悬知岁事到金穰。《齐民要术》：五谷蕃殖。张耒诗：人生多求复多怨，天工供尔良独难。

雷始收声

《汲冢周书》秋分文同。《明堂月令》仲秋文同，注：在地中动内物也。《吕氏春秋》仲秋：雷乃始收声。解：始收，藏其声不震也。《淮南子》仲秋：雷乃始收。《易通卦验》：雷始收。注：收，藏也。

听不闻声，功成茂对。耀隐收威，时遵养晦。

荄孕胚胎，蛰深藏退。虩虩柔乘，爻占归妹。

刘伶颂：静听不闻雷霆之声。《易》：天下雷行，先王以茂对，时育万物。贾登赋：收其威而雷不作，隐其耀而雷不烁。《诗》：遵养时晦。《汉书·志》：雷以八月复归，入地则孕毓根荄，保藏蛰虫。韩愈文：胚胎前光。《易》：退藏于密。又：震来虩虩。又：柔乘刚也。又：泽上有雷，归妹。

蛰虫坏[①]户

《汲冢周书》秋分文同。《明堂月令》仲秋文同。《集说》：

---

① 坏（péi 培）：通“培”。郑玄注：“培，益也”。

坏，益其蛰虫之户，使通明处稍小，至寒盛乃墐塞之也。《淮南子》仲秋文同。《吕氏春秋》仲秋：蛰虫俯户。解：将蛰之虫，俯近其所蛰之户。

昆虫环堵，埤益封坏。绸缪雨骤，谨护风陨。

狭才容膝，密若营胎。随阳启牖，卧暖春回。

陶潜文：环堵萧然。《诗》：政事一埤益我。又：绸缪牖户。《老子》：骤雨不终日。《释名》：户，护也，所以谨护闭塞也。《尔雅》疏：回风自上而下曰陨。欧阳修诗：广狭足容膝。《史记·书》：营室者，主营胎阳气而产之。徐广赋：昆虫随阳而坏穴。《论衡》：凿窗启牖。姚合诗：卧暖身应健。陆游诗：惜春直欲挽春回。

水始涸

《汲冢周书》秋分文同。《明堂月令》仲秋文同。《集说》：水本气之所为，春夏气至故长，秋冬气返故涸也。《吕氏春秋》仲秋文同，解：阴气渴竭。《淮南子》仲秋文同，注：涸，凝竭也；涸或作盛，言阴盛也。

星见天根，潦收待涸。荡浊飚鸣，扶光日烁。

绣浍辞盈，甲虫不作。鱼纵重波，竭欢杯酌。

《国语》：天根见而水涸。《唐乐章》：潦收川镜。张协诗：清气荡暄浊。张协文：溯九秋之鸣飚。谢瞻诗：扶光迫西汜。江淹诗：日烁兮霞浅。《孟子》：雨集沟浍皆盈，其涸也可立而待也。何景明记：膏壤绣浍。《汲冢周书》：水不始涸，甲虫为害。《礼》：暴民不作。《道生旨》：鱼纵涸而重波。陆环赋：期竭欢于水涸。《南史·传》：不念杯酌之水。

九　月

鸿雁来宾

《汲冢周书》寒露文同。《明堂月令》季秋文同，注：言其客止未去也。《集说》：雁以仲秋先至者为主，季秋后至者为宾，如先登者为主人，从之以登者为客也。《吕氏春秋》季秋：候雁来。解：是月候时之雁，从北来南之彭蠡，八月来者，其父母也；其子羽翼稚弱，未能及之，故于是月来过周雒也。《淮南子》季秋：候雁来。《夏小正》九月：遰鸿雁。传：遰，往也。

候时识序，谁主谁宾。风翔后至，泥爪前因。

群栖独警，结阵相亲。清高万里，来去何频。

孙楚赋：候天时以动静。杜甫诗：识序如知恩。苏轼诗：归来谁主复谁宾。赵励赋：长鸣翔风。李商隐诗：登门惭后至。苏轼诗：泥上偶然留指爪。释贯休诗：浑似有前因。《禽经》：群栖独警。李峤诗：排空结阵行。李嘉祐诗：流水自相亲。俞允文赋：萧条万里，天高气清。《列子》：汝何去来之频。

雀入大水为蛤

《明堂月令》季秋文同。《集说》：飞物化为潜物也。《汲冢周书》寒露：雀入大水化为蛤。《吕氏春秋》季秋：宾爵入大水为蛤。解：宾爵者，老爵也，栖宿于人堂宇之间，有似宾客，故谓之宾爵；大水，海也。《淮南子》季秋：宾雀入大水为蛤。《易通卦验》：宾爵入水为蛤。注：亦物应时之变候。《夏小正》九月：雀入于海为蛤。传：盖有矣，非常入也。

化岂百年，沙田弃亩。夕饮腴肌，喧捞闭口。

环玉曾衔，函珠待剖。鱼趁风来，燕猜归后。

《搜神记》：百年之雀，入江化为蛤。周必大诗：东海沙田种蛤珧。《吕氏春秋》：上田弃亩。鲍照诗：夕饮清池。沈趋诗：肌薄少滋腴。元稹诗：泥浦喧捞蛤。苏轼诗：闭口护残汁。白居易诗：莫学衔环雀。张衡赋：巨蚌函珠。《风土记》：六月，东南长风时，海鱼化为黄雀。《列子》：燕之为蛤也。

鞠有黄华

《汲冢周书》寒露文同。《明堂月令》季秋文同。《集说》：鞠色不一，而专言黄者，秋令在金，金有五色而黄为贵，故鞠色以黄为正也。《吕氏春秋》季秋文同。《淮南子》季秋文同。《夏小正》九月：荣鞠。传：鞠，草也，鞠荣而树麦，时之急也。《埤雅》：菊从鞠，穷也，花事至此而穷尽也。

鞠荣通理，珍德灵囊。金精淡伫，土色交相。

钱排莺羽，铃缀蜂房。延年黄耇，晚节弥香。

萧颖士序：鞠荣酬赠离，且申志也。《易》：君子以黄中通理。《扬子》：灵囊大包，其德珍黄。李峤诗：金精九日开。柳永词：黄花开淡伫。钟会赋：纯黄不杂，后土色也。曾巩诗：律吕乃交相。《群芳谱》：鞠有莺羽黄，千瓣如大钱，蜂铃若蜂窠之状。司马光诗：露泛蜜房香。傅统妻莘氏颂：服之延年，佩之黄耇。韩琦诗：且看黄花晚节香。

豺乃祭兽

《汲冢周书》霜降文同。《明堂月令》季秋文同，疏：初得者杀而祭之，后得者杀而不祭也。《集说》：祭兽者，祭之于天。《淮南子》季春文同，注：是月，豺杀兽，四面陈之，世谓之祭兽。《吕氏春秋》季秋：豺则祭兽。解：豺，兽也，似狗而长毛，其色黄。《夏小正》十月：豺祭兽。传：善其祭而后食之也，豺祭其类，故谓之祭。《易通卦验》霜降：豺祭兽。注：豺将食兽，必先祭也。

雨露方濡，豺知追慕。四面陈鲜，群行分胙。

数获勋登，习戎令布。骐虎虽仁，非族不与。

《礼》：雨露既濡，君子履之，必有怵惕之心。王粲诗：虽则追慕。《埤雅》：豺取兽以祀其先，先王候之以田。《本草纲目》：豺噬物群行。袁晖判：悦分胙以言旋。《仪礼》：先数右获。《礼》：天子乃教于田猎，以习五戎。《魏志·传》注：骐驎白虎仁于豺，豺自祭其先，不祭骐虎也。《左传》：民不祀非族。《论语》：吾不与，祭如不祭。

草木黄落

《汲冢周书》霜降文同。《明堂月令》季秋文同。《吕氏春秋》季秋文同，解：草木节解。《淮南子》季秋文同。《易通卦验》：草木死。《国语》：本见而草木节解。注：本，氐也；谓寒露之后，十月阳气尽，草木之枝节皆解理也。

草疏摵摵，木下萧萧。轻尘栖弱，寒色零飘。

云飞陇首，风折山腰。天时消息，酝酿繇条。

夏侯湛赋：草摵摵以疏叶。杜甫诗：无边落木萧萧下。《南史·传》鱼弘曰：大丈夫生如轻尘栖弱草。宋之问诗：众草起寒色。《唐类函·草》曰：零木曰落。柳恽诗：亭皋木叶下，陇首秋云飞。庾信赋：顿山腰而半折。《周礼》：草木有时以生，有时以死，此谓天时也。《易》：与时消息。《淮南子》：呕咐酝酿。《书》：厥草惟繇，厥木惟条。

蛰虫咸俯

《汲冢周书》霜降文同。《淮南子》季秋文同，注：俯，伏也，青州谓伏为俯。《明堂月令》季秋：蛰虫咸俯在内。正义：垂头向下以随阳气，阳气稍沉在下也。《吕氏春秋》：蛰虫咸俯在穴。解注：咸皆俯伏藏于穴。

寒色侵肤，伏膺而俯。足蹜如循，目幽无睹。

屏气收身，封泥怀土。作待雷惊，轩昂伸伛。

黄幹诗：始知寒色已侵肤。柳宗元文：吾固伏膺而俯矣。《论语》：足蹜蹜如有循。《易》注：丰其蔀，幽而无睹者也。潘尼赋：常屏气以敛迹。王安石诗：一室收身自有余。杜甫诗：朱果落封泥。陆机赋：怀土弥笃。《庄子》：蛰今始作，吾待惊之以雷霆。黄庭坚诗：讵当损轩昂。枚乘《七发》：伸伛起躄。

十　月

水始冰

《汲冢周书》立冬文同。《明堂月令》孟冬文同。《吕氏春秋》孟冬文同，解：秋分后三十日霜降，后十五日立冬，水冰，故曰始也。《淮南子》孟冬文同。《易通卦验》立冬：始冰。《汉书·传》：冰者，阴之盛而水滞者也。

霜严昨夜，寒气初升。碎琼渐布，叠谷平凝。

月华虚澈，风力骄矜。戒昭履薄，君子兢兢。

陆游诗：昨夜凝霜皎如月。曹毗诗：凛厉寒气升。韦应物诗：碎如坠琼方截璐。曹植《七启》：累如叠谷。《真诰》：平凝夷质。林滋赋：轻笼月华。刘长卿赋：内含虚澈。吴均诗：飘扬恣风力。萧子良书：相与去骄矜。《诗》：如履薄冰。孔仲武诗：我谓坚冰似君子。陆游诗：兢兢晚节迹渊冰。

地始冻

《汲冢周书》立冬文同。《明堂月令》孟冬文同。《吕氏春秋》孟冬文同。《淮南子》孟冬文同。《风俗通》：冰壮曰冻。《韩非子》：冬日之闭冻不固，春夏之长草木也不茂。

地道涵柔，乘刚结冻。酒滴仍浓，烟凝增蕴。

响曳雕轮，滑迟丝鞚。欲卜丰年，更霏雾凇。

《易》：立地之道，曰柔与刚。元结歌：五德涵柔。陆游诗：小径霜泥结冻时。杨万里诗：滴地酒成冻。庾信文：烟凝不动，泉冻无声。张正见诗：地冻班轮响。谢惠连诗：脔脔雕轮驰。戴皓诗：马冻滑银蹄。梁元帝诗：宛转青丝鞚。曾巩诗注：齐地寒甚，夜如雾凝于水上，旦视之如雪，土人谓之雾凇，以为丰年之兆。

雉入大水为蜃

《汲冢周书》立冬文同。《明堂月令》孟冬文同。《集说》：蜃，蛟属，亦飞物化潜物也。《吕氏春秋》孟冬文同，解：蜃，蛤也；大水，淮也。《淮南子》孟冬文同。《易通卦验》小雪：雉入水为蜃。《夏小正》十月：雉入于淮为蜃；蜃者，蒲卢也。

中流顾影，向月盈胎。朝呴雷震，寒感云开。

辞升鼎鼎，别构楼台。龙文共会，雀队相陪。

傅休弈赋：鉴中流而顾影。苏舜钦诗：老蚌向月月降胎。郭璞赞：与月盈亏。《夏小正》传：雉震呴，相识以雷。呴，匈于切。陆机赋：寒冽冽而感兴。陈旅诗：水郭寒生白蜃云。薛据诗：云开天宇静。《尚书大传》：雉飞鼎耳而雊。《汉书·志》：海旁蜃气象楼台。《书》：山龙华虫作会。《述异记》：黄雀五百年为蜃蛤。苏轼诗：宾主真相陪。

虹藏不见

《汲冢周书》小雪文同。《明堂月令》孟冬文同。《集说》：

此时阴阳极平，故虹伏；虹非有质，而曰藏，亦言其气之下伏耳。《吕氏春秋》孟冬文同，解：虹，阴阳交气也；是月阴壮，故藏不见。《淮南子》孟冬文同，注：虹，阴中之阳也；是月阴盛，故不见。

虹气阳攻，藏缘激冷。贯斗销氛，回风匿影。

弓弛归弢，锦文尚絅。相见随时，非含德秉。

《释名》：虹，攻也，纯阳攻阴气也。潘岳赋：晨风凄以激冷。郝经赋：双霓贯斗而飞。骆宾王诗：尘灭似销氛。施肩吾诗：落日风回卷碧霓。陆龟蒙诗：匿景崦嵫色。《白虎通德论》：虹，天弓也。贡师泰诗：繁弱且归弢。李处仁赋：同衣锦尚絅之时。王融诗：而无相见时。《淮南子》：虹霓不出，含德之所致也。

天气上腾　地气下降

《汲冢周书》小雪文同。《明堂月令》孟冬文同，疏：纯阴用事，地气凝冻，寒气逼物，地又在下，故云地气下降；于时六阳从上退尽，无复用事，天体在上，不近于物，似若阳归于天，故云天气上腾。《吕氏春秋》孟冬文同。

精清形浊，元气分收。仰瞻高远，俯察深幽。

储施积健，孕化归柔。子开丑辟，二象回周。

《广雅》：太初，气之始也；清者为精，浊者为形。《文中子》：天者，统元气者也。《白虎通德论》：地者，元气所生。《释名》：天坦然高而远也。张蠙诗：避暑得深幽。《淮南子》：吐气者施，含气者化。司空图文：积健为雄。《道德指归论》：归柔去刚。《皇极经世》：天开于子，地辟于丑。傅亮铭：荡二象之淑灵。《淮南子》：与万物回周旋转。

闭塞而成冬

《汲冢周书》小雪文同。《明堂月令》孟冬文同，注：使有司助闭藏之气，门户可闭闭之，窗牖可塞塞之。《吕氏春秋》孟冬：闭而成冬。解：天地闭，冰霜凛烈，成冬也。

丹鸟攸司，塞源积委。贞吉屯膏，孚亨坎止。

亥劾含元，冬终复始。不息无疆，幽藏运理。

《左传》：丹鸟氏，司闭者也。《书》：慎乃攸司。《大戴礼》：不务塞其源。《韩诗外传》：不待积委而富。《易》：屯其膏，小贞吉。又：习坎有孚，维心亨。《晋书·志》：十月之辰为亥，言时阴气劾杀万物也。刘允济赋：大道含元。《南齐书·志》：元起于亥。《月令章句》：冬，终也。《易》注：终则复始。《易》：君子以自强不息。又：德合无疆。《白虎通德论》：万物所幽藏也。《史记·本纪》：运理群物。

十一月

鹖旦不鸣

《明堂月令》仲冬文同。《集说》：夜鸣求旦之鸟也。《易通卦验》冬至文同，注：气至之应也。《吕氏春秋》仲冬文同，解：鹖旦，山鸟，阳物也；是月阴盛，故不鸣也。《淮南子》仲冬：鳱鴠不鸣。《广雅》：鹖旦，鳱鴠也。《汲冢周书》大雪：鴠鸟不鸣。

毨毛毅鸟，黄褐眸观。眠忘求旦，暖不号寒。

垂垂敛翼，默默峨冠。三缄知凛，百舌同安。

《书》：鸟兽毛毨。《禽经》：鹖，杀鸟也。《正字通》：色黄黑而褐。《尔雅》注：求旦之鸟，冬月昼夜鸣，故曰寒号；仲冬不鸣者，冬至阳生渐暖故也。庾信诗：正耐雪垂垂。杜甫诗：归鸟尽敛翼。苏辙诗：自闭常默默。《正字通》：首有毛，角有冠。白敏中赋：难夺三缄之志。《本草纲目》：能反覆如百鸟之音。

虎始交

《汲冢周书》大雪文同。《易通卦验》小寒文同。《明堂月令》仲冬文同，注：交犹合也。《吕氏春秋》仲冬文同，解：虎乃阳中之阴也，阴气盛，以类发也。《淮南子》仲冬文同，注：交，读如将校之校。

阳至乘阴，虎知育化。气感絪缊，啸追匹亚。

谷震风生，林摇霜下。月晕遥瞻，诞英朱夏。

《淮南子》：冬至日则阳乘阴。崔驷铭：黄钟育化。张良器赋：元化絪缊。黄庭坚诗：各自有匹亚。《易》疏：虎啸则谷风生。游子明诗：尾剪霜风林叶飞。《酉阳杂俎》：虎交而月晕。《续博物志》：虎以七月而生。傅咸赋：逮朱夏而诞英。

荔挺出

《汲冢周书》大雪文同。《明堂月令》仲冬文同，注：荔挺，马薤也。《吕氏春秋》仲冬文同，解：荔，马荔挺生出也。《淮南子》仲冬文同。《夏小正》七月：荓秀。传：荓也者，马帚也。《名医别录》：一名蠡实。《图经本草》：叶似薤而长厚，三四月间开紫碧花，五月结实作角子如麻大，而赤色有棱，根细长通黄色。

冒寒森挺，荔实荣初。棱分细薤，脊掩深蒲。

信随葭动，生傍芸舒。新丛渐布，紫碧春敷。

耿湋诗：冒寒人语少。《通俗文》：一名荔实。《群芳谱》：

薙叶有棱似细葱。《说文》：荔似蒲而小。《格物总论》：蒲草三脊。《诗》笺：蒲，深蒲也。杜甫诗：吹葭六琯动飞灰。《礼》：芸始生。庾肩吾诗：新丛入望苑。《本草纲目》：荒野丛生，一本二三十茎。

蚯蚓结

《汲冢周书》冬至文同。《明堂月令》仲冬文同。《章句》：蚯蚓在穴，屈首下向阳气，气动则宛而上首，故其结犹屈也。《吕氏春秋》仲冬文同，解：结，纡也。《淮南子》仲冬文同。

井底阳回，不闻幽咽。漫比龙蟠，岂因鵙结。

吐壤津回，穿堤力竭。百合盈拳，庭阶春茁。

苏轼诗：井底微阳回未回。范浚诗：幽咽得我听。梅尧臣诗：龙蟠亦以蟠，自谓与龙比。《禽经》：鵙鸣则蛇结。范成大诗：蚓吐无穷壤。《新论》：尺蚓穿堤，能漂一邑。《蒙斋笔谈》：蚯蚓之为百合，其欲化时，蟠结如球，已有百合之状。陈子昂诗：揽之不盈拳。刘基诗：种之近庭阶，离离看新茁。

麈角解

《汲冢周书》冬至，《明堂月令》仲冬，《吕氏春秋》仲冬，《淮南子》仲冬皆言麋角解。《夏小正》十有一月、十有二月两言：陨麋角。高宗纯皇帝几暇格物，目验鹿麋皆解角于夏，麈解角于冬，亲加考证改定，以析从来载记之误。

尾挥视主，角陨遵时。天心初复，阳性前知。

羸非藩触，断岂桐披。万几余论，千古稽疑。

《名苑》：鹿之大者为麈；群鹿随之，视其尾所转，故文从鹿从主。陆机赋：遵四时以叹逝。《易》：复其见天地之心乎。《申鉴》：凡阳性升。《中庸》：可以前知。《易》：羝羊触藩，羸其角。《淮南子》：梧桐断角。《书》：一日二日万几。又：七，稽疑。

水泉动

《汲冢周书》冬至文同。《明堂月令》仲冬文同，注：水泉动，润上行。《集说》：水者，天一之阳所生，阳生而动；枯润者，渐滋发也。《吕氏春秋》仲冬文同，解：水泉涌动，应微阳气也。《淮南子》仲冬文同。

泉闷山根，潺湲久寂。心醒云涵，腴滋乳滴。

吹存盈流，蒙亨育德。暖溜温源，灵长异绩。

元好问诗：泉漱山根玉有声。白居易记：潺湲皎洁。杜甫诗：山驿醒心泉。秦观赋：涵云注玉。释月江诗：寒腴是石滋。宋无诗：窦深膏乳滴。《易》：水洊至水，流而不盈。又：蒙，亨，君子以果行育德。唐高宗诗：暖溜惊湍驶。《水经注》：温源即温泉。郭璞赋：实水德之灵长。李峤：制仡闻异绩。

十二月

雁北乡

《汲冢周书》小寒文同。《明堂月令》季冬文同，正义：雁北乡有早有晚，早者此月，晚者二月。《吕氏春秋》季冬文同，解：雁在彭蠡之泽，是月皆北乡，将来至沙漠也。《淮南子》季冬文同。

斗枢指北，旅雁将旋。分征四节，双匹连翩。

边笳嘶哱，腊鼓喧阗。迟留春伴，入塞争先。

《鹖冠子》：斗枢指北，而天下皆冬。谢灵运文：将旋东道。曹植赋：赴四节而行。吴王女紫玉歌：不为匹双。萧子范诗：

连翩辞朔气。颜延之文：听边笳之嘶唪。《荆楚岁时记》：腊鼓鸣，春草生。皮日休诗：其声亦喧阗。赵嘏诗：送春无伴亦迟留。姚合诗：入塞必身先。

鹊始巢

《汲冢周书》小寒文同。《易通卦验》大寒文同。《明堂月令》季冬文同，疏：此据晚者，若早者，十一月始巢。《吕氏春秋》季冬文同，解：鹊，阳鸟，顺阳而动，是月始为巢也。《淮南子》季冬：鹊加巢。注：上加巢也。

灵鹊营巢，将雏位置。音共高卑，岁占趋避。

鸠拙留安，虫藏同智。利见衔梁，俯窥生类。

《禽经》：灵鹊兆喜。李商隐诗：新春定有将雏乐。文天祥诗：未老先位置。《田家杂占》：鹊巢卑主水，高主旱，音亦如之。《博物志》：鹊巢开户背太岁。《论语》：趋而避之。《诗》笺：鸤鸠不自为巢，居鹊之成巢。《淮南子》：太阴所建，蛰虫首穴而处，鹊巢乡而开户。《酉阳杂俎》：鹊巢中必有一梁，俗言见鹊衔木上梁者必贵。《荀子》：古之王者，其政好生而恶杀，鸟鹊之巢可俯而窥也。《列子》：天地万物与我并生类也。

雉 雊

《易通卦验》立春文同，注：雊鸣相呼也。《明堂月令》季冬文同，疏：立春节在此月也，鸡乳同。《吕氏春秋》季冬文同，解：《诗》云“雉之朝雊，尚求其雌”是也。《淮南子》季冬文同。《汲冢周书》小寒：雉始雊。《夏小正》正月：雉震呴。传：震也者，鸣也；呴也者，鼓其翼也。《后汉书·传》：十二月阳气上通，雉雊鸡乳，地以为正，殷以为春。

时哉翚雉，朝雊初听。引伸曲项，振拍修翎。

隰霙洒白，陇麦浮青。求雌声应，待震春霆。

《禽经》：五采备曰翚。马融赋：野雉朝雊。骆宾王诗：曲项向天歌。苏轼诗：梧竹养修翎。刘子翚诗：回隰飘浮霙。罗隐诗：筛寒洒白乱溟濛。虞世南诗：陇麦沾余翠。王勃赋：引浮青而泛露。《诗》：尚求其雌。《易》：同声相应。《洪范五行传》：正月雷微而雉雊，雷气通也。傅亮赋：春霆殷以远响。

鸡　乳

《易通卦验》立春文同。《明堂月令》季冬文同。《吕氏春秋》季冬文同，解：乳，卵也。《汲冢周书》大寒：鸡始乳。《淮南子》季冬：鸡呼卵。注：鸡呼鸣求卵也。《夏小正》正月：鸡孚粥。传：粥者，相粥粥呼也。或曰：孚，妪伏也；粥，养也。《说文》：乳，从孚从乙，人及鸟生子曰乳。

五母时调，阳萌卵育。吹毳毛丰，蹲形翼伏。

种岂沙翻，窠非礜燠。计候兼旬，诸雏簇簇。

《孟子》：五母鸡，毋失其时。《易通卦验》冬至：青阳萌于下。韩愈文：卵育于此。杜甫诗：见轻吹鸟毳。《战国策》：羽毛不丰满者，不可以高飞。《左传》：胜，犹卵也，余翼而长之。《酉阳杂俎》：雀浴沙尘受卵。《埤雅》：鹳巢取礜石四围绕卵以助暖气；鸟之孚卵皆如其期，鸡二十日而化。礜，羊茹切。韩愈诗：再到遂兼旬。李商隐诗：稻粱犹足活诸雏。韩维诗：簇簇守前坻。

征鸟厉疾

《明堂月令》季冬文同，注：杀气当极也；征鸟，题肩也齐人谓之击征。《集说》：征鸟，鹰隼之属，以其善击，故曰征；

厉疾者，猛厉而迅疾也。《吕氏春秋》季冬文同，解：征，犹飞也；厉，高也，言是月群鸟飞行高且疾也。《汲冢周书》大寒：鸷鸟厉疾。

遐征鸷鸟，顾盼高柯。掓身尘掠，翻翻天摩。

镝飞集沓，电瞥光俄。寒空万里，搏击么麽。

陆云诗：乘之以遐征。杜甫诗：兹实鸷鸟最。苏颋序：顾盼余雄。杨宏一赋：或高柯而整翰。杜甫诗：掓身思狡兔。张耒赋：祥飚掠尘。陶潜诗：翻翮求心。李白诗：吾观摩天飞，独孤及表，飞镝羽集。刘克庄诗：十七年间如电瞥。杜甫诗：万里寒空只一日。濮阳瓘诗：长怀搏击功。范成大诗：肖翘极么麽。

水泽腹坚

《汲冢周书》大寒文同。《明堂月令》季冬文同，注：腹厚也，此月日在北陆，冰坚厚之时也。《集说》：冰彻上下皆凝，故曰腹坚；腹，犹内也。《吕氏春秋》季冬：冰方盛，水泽复。解：复，亦盛也；复，或作複，冻重累也。

飚劲寒凝，流澌冻定。表里重刚，中边叠映。

凿叩金声，削分玉莹。凌室方成，备嘉纳庆。

刘长卿赋：劲飚夕寒。萧子云赋：凝寒气于广庭。马戴诗：薄薄流澌聚。王建诗：神旗冻定马无声。唐无名氏赋：表里虚澈。《易》：重刚而不中。丁鹤年诗：味道悉中边。沈约文：蝉冕叠映。颜延之文：金声夙振。赵沨诗：已成玉壶莹。《宋书·志》：诏立凌室藏冰。《诗》：三之日，纳于凌阴。富嘉谟诗：安知采凿备嘉荐。曹植表：履长纳庆。

总书目

医经

内经博议

内经提要

内经精要

医经津渡

素灵微蕴

难经直解

内经评文灵枢

内经评文素问

内经素问校证

灵素节要浅注

素问灵枢类纂约注

清儒《内经》校记五种

勿听子俗解八十一难经

黄帝内经素问详注直讲全集

基础理论

运气商

运气易览

医学寻源

医学阶梯

医学辨正

病机纂要

脏腑性鉴

校注病机赋

内经运气病释

松菊堂医学溯源

脏腑证治图说人镜经

脏腑图书症治要言合璧

伤寒金匮

伤寒考

伤寒大白

伤寒分经

伤寒正宗

伤寒寻源

伤寒折衷

伤寒经注

伤寒指归

伤寒指掌

伤寒选录

伤寒绪论

伤寒源流

伤寒撮要

伤寒缵论

医宗承启

桑韩笔语

伤寒正医录

伤寒全生集

伤寒论证辨

伤寒论纲目

伤寒论直解

伤寒论类方

伤寒论特解

伤寒论集注（徐赤）

伤寒论集注（熊寿试）

伤寒微旨论

伤寒溯源集

订正医圣全集

伤寒启蒙集稿

伤寒尚论辨似

伤寒兼证析义

张卿子伤寒论

金匮要略正义

金匮要略直解

高注金匮要略

伤寒论大方图解

伤寒论辨证广注

伤寒活人指掌图

张仲景金匮要略

伤寒六书纂要辨疑

伤寒六经辨证治法

伤寒类书活人总括

张仲景伤寒原文点精

伤寒活人指掌补注辨疑

诊　法

脉微

玉函经

外诊法

舌鉴辨正

医学辑要

脉义简摩

脉诀汇辨

脉学辑要

脉经直指

脉理正义

脉理存真

脉理宗经

脉镜须知

察病指南

崔真人脉诀

四诊脉鉴大全

删注脉诀规正

图注脉诀辨真

脉诀刊误集解

重订诊家直诀

人元脉影归指图说

脉诀指掌病式图说

脉学注释汇参证治

针灸推拿

针灸节要

针灸全生

针灸逢源

备急灸法

神灸经纶

传悟灵济录

小儿推拿广意

小儿推拿秘诀

太乙神针心法

杨敬斋针灸全书

本　　草

药征
药鉴
药镜
本草汇
本草便
法古录
食品集
上医本草
山居本草
长沙药解
本经经释
本经疏证
本草分经
本草正义
本草汇笺
本草汇纂
本草发明
本草发挥
本草约言
本草求原
本草明览
本草详节
本草洞诠
本草真诠
本草通玄
本草集要
本草辑要
本草纂要
识病捷法
药性提要
药征续编
药性纂要
药品化义
药理近考
食物本草
食鉴本草
炮炙全书
分类草药性
本经序疏要
本经续疏证
本草经解要
青囊药性赋
分部本草妙用
本草二十四品
本草经疏辑要
本草乘雅半偈
生草药性备要
芷园臆草题药
类经证治本草
神农本草经赞
神农本经会通
神农本经校注
药性分类主治
艺林汇考饮食篇
本草纲目易知录
汤液本草经雅正
新刊药性要略大全

淑景堂改订注释寒热温平药性赋

方　书

医便
卫生编
袖珍方
仁术便览
古方汇精
圣济总录
众妙仙方
李氏医鉴
医方丛话
医方约说
医方便览
乾坤生意
悬袖便方
救急易方
程氏释方
集古良方
摄生总论
摄生秘剖
辨症良方
活人心法（朱权）
卫生家宝方
见心斋药录
寿世简便集
医方大成论
医方考绳愆
鸡峰普济方
饲鹤亭集方
临症经验方
思济堂方书
济世碎金方
揣摩有得集
亟斋急应奇方
乾坤生意秘韫
简易普济良方
内外验方秘传
名方类证医书大全
新编南北经验医方大成

临证综合

医级
医悟
丹台玉案
玉机辨症
古今医诗
本草权度
弄丸心法
医林绳墨
医学碎金
医学粹精
医宗备要
医宗宝镜
医宗撮精
医经小学
医垒元戎
证治要义
松厓医径
扁鹊心书

素仙简要

慎斋遗书

折肱漫录

济众新编

丹溪心法附余

方氏脉症正宗

世医通变要法

医林绳墨大全

医林纂要探源

普济内外全书

医方一盘珠全集

医林口谱六治秘书

温　　病

伤暑论

温证指归

瘟疫发源

医寄伏阴论

温热论笺正

温热病指南集

寒瘟条辨摘要

内　　科

医镜

内科摘录

证因通考

解围元薮

燥气总论

医法征验录

医略十三篇

琅嬛青囊要

医林类证集要

林氏活人录汇编

罗太无口授三法

芷园素社痎疟论疏

女　　科

广生编

仁寿镜

树蕙编

女科指掌

女科撮要

广嗣全诀

广嗣要语

广嗣须知

孕育玄机

妇科玉尺

妇科百辨

妇科良方

妇科备考

妇科宝案

妇科指归

求嗣指源

坤元是保

坤中之要

祈嗣真诠

种子心法

济阴近编

济阴宝筏

秘传女科

秘珍济阴
黄氏女科
女科万金方
彤园妇人科
女科百效全书
叶氏女科证治
妇科秘兰全书
宋氏女科撮要
茅氏女科秘方
节斋公胎产医案
秘传内府经验女科

儿　　科

婴儿论
幼科折衷
幼科指归
全幼心鉴
保婴全方
保婴撮要
活幼口议
活幼心书
小儿病源方论
幼科医学指南
痘疹活幼心法
新刻幼科百效全书
补要袖珍小儿方论
儿科推拿摘要辨症指南

外　　科

大河外科
外科真诠
枕藏外科
外科明隐集
外科集验方
外证医案汇编
外科百效全书
外科活人定本
外科秘授著要
疮疡经验全书
外科心法真验指掌
片石居疡科治法辑要

伤　　科

正骨范
接骨全书
跌打大全
全身骨图考正
伤科方书六种

眼　　科

目经大成
目科捷径
眼科启明
眼科要旨
眼科阐微
眼科集成
眼科纂要
银海指南
明目神验方
银海精微补

医理折衷目科
证治准绳眼科
鸿飞集论眼科
眼科开光易简秘本
眼科正宗原机启微

咽喉口齿

咽喉论
咽喉秘集
喉科心法
喉科杓指
喉科枕秘
喉科秘钥
咽喉经验秘传

养　　生

易筋经
山居四要
寿世新编
厚生训纂
修龄要指
香奁润色
养生四要
养生类纂
神仙服饵
尊生要旨
黄庭内景五脏六腑补泻图

医案医话医论

纪恩录
胃气论
北行日记
李翁医记
两都医案
医案梦记
医源经旨
沈氏医案
易氏医按
高氏医案
温氏医案
鲁峰医案
赖氏脉案
瞻山医案
旧德堂医案
医论三十篇
医学穷源集
吴门治验录
沈芊绿医案
诊余举隅录
得心集医案
程原仲医案
心太平轩医案
东皋草堂医案
冰壑老人医案
芷园臆草存案
陆氏三世医验
罗谦甫治验案
临证医案笔记
丁授堂先生医案
张梦庐先生医案

养性轩临证医案

养新堂医论读本

祝茹穹先生医印

谦益斋外科医案

太医局诸科程文格

古今医家经论汇编

莲斋医意立斋案疏

医　史

医学读书志

医学读书附志

综　合

元汇医镜

平法寓言

寿芝医略

杏苑生春

医林正印

医法青篇

医学五则

医学汇函

医学集成

医学辩害

医经允中

医钞类编

证治合参

宝命真诠

活人心法（刘以仁）

家藏蒙筌

心印绀珠经

雪潭居医约

嵩厓尊生书

医书汇参辑成

罗氏会约医镜

罗浩医书二种

景岳全书发挥

新刊医学集成

寿身小补家藏

胡文焕医书三种

铁如意轩医书四种

脉药联珠药性食物考

汉阳叶氏丛刻医集二种